TORGNY LINDGREN

LJUSET

BOKFÖRLAGET PAN
NORSTEDTS

ISBN 91-1-901521-6
© Torgny Lindgren 1987
Norstedts Förlag AB, Stockholm
Norstedts Förlag AB ingår i Esselte Förlag AB och utger
böcker under förlagsnamnen Almqvist & Wiksell, AWE/Gebers,
Norstedts och Bokförlaget PAN
Tryckt i Danmark hos
Nørhaven Rotation 1990

... och hade Chonnungens Tienare thet
Swinet som een Draache war ophengia
låthit och thess Herre til stoor
Nesa theslikes tuchta, och war
ther stoor Ohro. Frelsar sich
giör then thet moste.

(Chadii Tenkiabooch, pag. I)

Där kaninerna är, där förblir ingenting
som det har varit.

Det var senhöst då Jaspar bar Sjukdomen till Kadis. Han hade gått till Nordingrå för att leta sig en kvinna men han fann ingen. Hon skulle ha nära mellan ögonen. Och näsan skulle vara smal vid roten och hög och hon skulle vara något kobent och ha ett födelsemärke på högra kinden och ett litet mellanrum mellan framtänderna, och vad hon än hade kristnats till skulle han kalla henne Maria.

Han sökte i tre dagar och han beskrev henne noga för allt folket, men ingen ville medge att hon fanns.

Sedan var matsäcken slut, han hade haft kornbröd och blodpalt och färska rovor i en näverkont på ryggen. Tigga ville han inte göra, om kvinnan som han letade hade funnits skulle hon ha ringaktat honom då hon fått höra att han tiggde sitt bröd. Där-

9

för vände han åter samma väg som han kommit.

Han sov under en gran vid foten av ett berg som ännu inte hade något namn. Han grät sig till sömns. Han grät över kvinnan som inte fanns, alldeles som om hon hade varit död i stället för att överhuvudtaget inte finnas.

Hela sitt liv hade han varit förvissad att hon fanns, han hade trott på henne som på Gud.

Men sedan köpte han en dräktig kaninhona, det var i Ume, en storvuxen kanin med svarta tofsar på öronen och ett kors av grå prickar över ryggen, han ville ändå inte komma alldeles tomhänt hem. Han betalade med ett kopparspänne som Yvar, smeden i Kadis, hade gjort åt honom. Och han gjorde en bädd av gräs åt henne i konten och matade henne med ärkeängelsblad.

Då han kom hem till Kadis gick han till vattenrännan framför kapellet, han hade lovat att visa kvinnan för alla som ville se henne. Och de andra ungkarlarna och även barnen var genast där.

Hon finns inte i Nordingrå, sade han. Hon har aldrig funnits.

Då var hon bara en lögn som du uppfunnit, sade en av ungkarlarna.

För mig fanns hon, sade Jaspar. Och hon bodde i Nordingrå.

Så kan ingenting vara beskaffat. Att det finns för

10

någon men inte för alla andra.

Ingen kan säkert skilja mellan finnas och inte finnas, sade Jaspar. Och hon brukade komma till mig om nätterna.

Du gjorde hor med lögnen, sade ungkarlen. Du lockade den till dig i sömnen för att få göra hor med den. Ni var liksom i dvala, både du och kvinnan som du ljög.

Jag blöder under bägge fotsulorna, sade Jaspar. Skulle jag ha gått ända till Nordingrå för en lögn.

Och någon sade: Du får leta dig en annan.

För mig finns ingen annan, sade Jaspar.

Och en av de små pojkarna sade: Då jag blir stor då ska jag gå till Nordingrå och hitta henne.

Men Könik snickaren, han hade nyss varit ungkarl men nu hade han en hustru som hette Eira, han sade: Det är inte rätt.

Vad är inte rätt, sade Jaspar.

Kvinnan, sade Könik. Att du ljög henne. Och att hon inte ville finnas.

Han var brunsvart i håret och skägget och ganska grov och neröver pannan hade han ett veck som vart litet djupare och mörkare då han sade att det inte var rätt.

Och han lade till: Om hon hade funnits, om du hade kommit över henne i Nordingrå, då hade du genast fått uppfinna en annan kvinna åt dig. I stället

11

för den kvinnan som fanns. Rätt vill det aldrig riktigt bli.

Vad hade de gjort i Kadis den dagen. Allt folket.

De hade varit i mässan, för det var vilodagen.

De hade vilat efter middagsmålet, så många hundra som de var, även barnen hade varit tvungna att lägga sig ner och hyckla en stunds sömn.

Kvinnorna hade tagit emot kräken som kom från skogen, tio kor hade fattats och de hade fått söka dem på allmänningen för nu stod svampen överallt, särskilt den svampen som heter kosoppen.

De hade mjölkat alla korna.

Karlarna hade samlats och beslutat att kräken skulle gå ute ännu tio dagar. De hade beslutat att därefter skulle vara vinter.

De hade ätit siken och sjöfågeln.

De hade lyssnat till prästen som hade sagt att världsalltet är ofattligt stort och mångt, allting är gjort med vishet och jorden är full av lagbundenhet och ägodelar. Gräs växer för boskapen och säd åt människorna så att de kan gå till sitt åkerbruk ända till aftonen. Frid och ordning spirar ur jorden och strömmar över oss såsom regn.

De hade sagt: Amen.

Och nu började en och annan gå därifrån, det skymde och var kallt.

Men i konten, sade Jaspar, i konten har jag något som är visst och sant.

Då kom de tillbaka, de som börjat gå därifrån.

Och medan han lossade sprinten och vek undan haspen så att han kunde öppna locket sade han:

Jag betalade tre silverpengar för henne.

Och:

Hon är befruktad av en hare på ärkeängeln Mikaels dag och haren var stor som en slaktfärdig killing.

Men då han sedan lyfte upp kaninhonan ur näverkonten hoppade en loppa fram ur hennes päls och bet honom i vänstra lillfingret, just vid nagelbandet, den lilla loppan det var den stora sjukdomen.

Det var märkvärdigt, sade han, djurlopporna brukar ju inte bita folk.

Men han knep den och klämde ihjäl den mellan tummen och pekfingret.

De såg på henne, kaninhonan, hon var fet och hon var sannerligen dräktig, hon svällde över åt alla håll, det var omöjligt att se hur hon egentligen såg ut, hennes verkliga utseende hade gått förlorat i fet-

13

tet och överflödet.

Och Jaspar förklarade kaninens väsen:

Människan kan aldrig begripa sig på kaninen, nej inte ens om man lever i tusen år kan man tyda den gåta som kaninen är.

Pälsen är len och varm, den är som håret i en kvinnas armhåla, att stryka kaninen är som att doppa handen i spenvarm mjölk. Och köttet är vitt och mjukt som smöret, du är mätt en hel vecka då du ätit kaninen, även det stekta köttet ynglar av sig och förökas.

Människan är visserligen Guds avbild, men det finns även en Gud som har skapat kaninen till sin avbild, det är en munterhetens och sprittningarnas och skvätträddhetens och förökningens Gud.

För kaninkäringen hon kan föda tie kullar om året. Och tie ungar var gång, vem kan räkna ut huru ofantligt många kaniner det i slutet blir. Oräkneliga, det är vad kaninerna vill vara. Kaninkäringen har så mycket kärlek att hon aldrig kan vara i stillhet, hon far oavbrutet hit och dit, jämt skälver det i någon del av hennes kropp.

Jo, kaninen är en Skapare.

Och kaninen hör allt, den kan sitta framför en klöverknopp och höra hur den slår ut och vänta på kronbladen.

Och av nästan ingenting kan kaninen dö, en blåst,

en regndroppe, ett loppbett, ett hagelkorn.

Och någon av pojkarna frågade honom: Har hon ett namn.

Hon heter Maria.

Kan en kanin verkligen heta Maria.

Hon bär ett skönare namn än alla andra för hon är den första kaninkäringen i den här ändan av landet.

Och det ska ni veta att där kaninerna är, där förblir ingenting som det har varit, där sker underverk och där är ingenting visst och säkert, där är det inte lönt att tala om vad som är rätt eller fel eller möjligt eller omöjligt.

Det sade han till Könik.

Han hade ett märkvärdigt sätt att prata Jaspar, han liksom mässade, teg gjorde han ogärna och nu hördes det tydligt att han ville inleda en befängd och narraktig skröna, och Gud vet vad den skulle innehålla av ond bråd död och främlingar med gyllne band om pannan och fäder som besteg sina döttrar och vidunderliga djur och barnarov och konungsliga sändebud som drev gyckel med Gud och hela världen och drakar och drakars herrar som vart hängda med rep.

Ingen iddes särskilt länge höra honom.

Det hände att någon frågade honom: Varför berättar du den här skrönan för mig.

En skröna, sade då alltid Jaspar, den berättar man väl bara för att folk ska få förundra sig.

Då om kvällen kom Yvar, smeden, till Jaspar. Jaspar bodde ännu i föräldrarnas hus, det var bakom den öppna platsen som de kallade torget.

Jag har hört att du har bytt dig till en kaninhona mot silver, sade han. Jag trodde att det bara var Avar som hade silvret här i Kadis.

Hon är dräktig, sade Jaspar, en hargubbe som var stor som en galt har gjort minst femton ungar i henne.

Har du mera silver, sade Yvar. Silver ska man inte byta mot kaniner.

Det var allt jag hade, sade Jaspar.

Men nu sade Jaspars far:

Han for för att hämta en kvinna som inte fanns. Och han köpte en kanin för silver som han inte hade. Och kaninkäringen kommer snart att vara betäckt av djävulen själv om han får fortsätta.

Då blev Jaspar tvungen att störta ut genom dörren och spy. Och Yvar gick hem.

Jaspar spydde sig tom, sedan lade han sig på halmen inom dörren. Hettan i kroppen kom nästan genast, han skakade av köld och svettades så att halmen omkring honom blev blöt och började lukta mögel. I gryningen spydde han två gånger, nu var det bara blod, och sedan dog han.

När Jaspars far bar ut honom på vedbacken såg han att det döda ansiktet var översållat av djupröda knölar.

Sedan gick fadern till Yvar, det var ännu tidigt om morgonen, på ryggen bar han sonens näverkont med kaninhonan.

Jag vill att du smider ett munlås på Jaspar, sade han, han ligger på vedbacken. Så att han inte kan öppna käften i evigheten.

Så var det i Kadis: rätt och sanning var viktigare och dyrbarare än allting annat.

Och han grät och snörvlade så hjärtskärande att han tre gånger måste upprepa munlås innan Yvar begrep det.

Hos Könik snickaren tingade han sedan en kista åt sonen och en bur åt kaninen, en liten kätte av grova granstavar. Den kaninburen blev det sista föremål i livets tjänst som Könik fick snickra på en tid som var så lång att han efteråt inte hade ord eller namn för den.

Undantagandes ett gungsäte för ett barn som så småningom skulle avlas och födas på ett sådant sätt att Könik hellre hade snickrat en kista än en gunga åt det.

Sedan arbetade Yvar hela dagen med munlåset,

han använde plåtband som han själv hamrat och nitar som han smitt och koppartråd som han själv dragit, han arbetade på ett litet städ som han burit med sig till vedbacken, och till kvällen var Jaspars mun så sammanbunden och hopsmidd att den aldrig mer skulle kunna öppnas, det var ett munlås långt varaktigare än själva munnen. Men då var Yvar så slak och förbi att händerna inte lydde honom längre och framför hans ögon dansade svarta fläckar och eldslågor, Jaspars far fick hålla honom uppe och med armarna om hans bröstkorg leda honom hem.

I mörkret låg sedan Yvar och kände med fingrarna hur stora bölder slog ut överallt på hans kropp, de växte under hans fingertoppar, innan det ljusnade var han död.

Så blev både Jaspar och Yvar burna till Könik för kistornas skull, de blev lagda i det lilla avlånga huset med det torkade virket. Och alla i Kadis kom för att se dem.

Också prästen kom. Han smorde deras ögon och näsor och öron och händer och fötter och munnar, ja han lyckades tränga in sitt tunna pekfinger under Jaspars munlås och nudda vid hans plutande läppar, och de som stod närmast såg att prästen darrade så att oljan stänkte ur den lilla lerflaskan, många

18

fick på det sättet små droppar av den sista smörjelsen på sig, det var de sista små skvättarna av sakrament som på ohyggligt lång tid utdelades i Kadis.

Prästen hade funnits i Kadis i några år, det var biskopen som sänt honom norrut, inte till någon särskild ort utan vart som helst. Sedan länge drog människor mot norr, byar växte upp i de öde landen, kanske också städer, någon måste gå till dem med det som var heligt och nödvändigt.

Han var fruktansvärt mager trots att han åt som tre karlar. När Könik gifte sig hade man räknat bröden och riporna och järparna och fläskbitarna och laxstyckena och han tog hela tiden tre där andra tog en eller ett, och Jaspar hade givetvis sagt att det måste vara så, han måste äta för hela treenigheten. Ändå förblev han magrast och benigast i Kadis, hans näsa var hög och vass, den liknade en yxegg, under dräkten skymtade hans knotor som avhuggna kvistar och på hans händer hängde skinnet slappt på benpiporna. Men hans ögon var stora och förundrade, de såg nästan feta ut i den övriga torrheten.

Han hade varit i alla länder som någon människa hört talas om, biskopar hade sänt honom än hit än dit, överallt hade han samlat hemligheter och kunskaper så som ekorren samlar kottar.

Han visste nästan allt, därför ville han inte veta mera. Han ville inte veta namnet på orten dit han kommit, han sade det till dem: Säg mig inte namnet på er by eller stad eller vad ni än menar att det här är för slags ställe, bygg mig bara ett kapell och låt mig vara.

Därför byggde de honom kapellet och Könik snidade ett jättelikt kors av en toppbruten tall och för rättvisans skull frågade de inte efter hans namn, de kallade honom bara prästen, de kvittade namnlöshet mot namnlöshet och ingen sade någonsin Kadis till honom.

Han var den första prästen de hade, de var tacksamma att han skötte det som var heligt och nödvändigt åt dem, men alla tyckte att han ständigt verkade förtvivlad, var han gick vred han sina händer. De beniga fingrarna var krökta och vinda i varje led, de hade blivit så därför att han hela sitt liv oavbrutet hade vridit dem.

Nu stod han där med all sin kunskap och såg Jaspar och Yvar som han hade smort, han kände igen sjukan som dräpt dem. Och han vred och tvinnade samman sina händer så att de aldrig mer skulle kunna säras. Han hade fått den stora sjukdomen beskriven för sig otaliga gånger, han visste allt om honom. Förut hade han och sjukdomen alltid vandrat skilda vägar, han hade jämt lyckats bli sänd bort från honom, ja han hade slutligen börjat tro att de aldrig skulle mötas.

Eller att den stora sjukdomen bara fanns i form av kunskap.

Men nu såg han ansikte mot ansikte.

Han började skaka och skälva som en förtorkad gran i storm, skakningarna kom från fotlederna och spred sig upp till knäna och fortplantades vidare till höfterna och bröstet och skuldrorna.

Och hans hjärta satte i gång att klappra inne i den knotiga bröstkorgen så att det lät som en hackspetts trummande mot en ihålig stam, alla hörde det. Något sådant hade ingen förut hört i Kadis.

Men han företog sig ingenting. Jo, han sade ändå slutligen: Vad heter den här platsen.

Kadis.

Och någon frågade: Vad heter du.

Och han svarade: Blasius.

Då sade någon:

Så har vi äntligen lärt känna varandra.

Sedan såg de bara att han rörde läpparna, han förmådde inte mer att överrösta dånet inifrån bröstet. Och till sist tystnade hjärtat. Han var den tredje som dog, han dog av pest och kunskap.

Dagen därpå dog Köniks far, han som mistat handen i en vargfälla som han själv byggt. Och Jaspars far. Och Yvars hustru och ett av hans barn.

Och ytterligare andra.

Det är inte rätt, sade Könik, döden har tappat synen och förståndet och griper runt om sig i blindo.

Sista dagen som Jaspars far levde hade han hämtat kaninburen, innan han dog fick han uppleva att honan födde sju ungar. Och det var det sista han sade: Vem ska nu taga hand om kaninerna.

När tio var döda, då drog Könik upp några ord ur en djup klyfta i sitt minne, något som han en gång hört men egentligen hade glömt:

Om det kan vara den stora sjukdomen.

Det var om aftonen han sade det, ljuset genom de två gluggarna vid dörren var med knapp nöd tillräckligt för att de skulle se varandra, han och hans Eira, hela dagen hade han hyvlat kistvirke, han var trött. Men han såg att Eira blev så blek att kinderna började skimra i dunklet.

Det var så med Eira att hon var ovanligt, ja förunderligt kortväxt, om Könik hade brytt sig om att söka djupt och länge nog i sitt minne kunde han ha funnit ordet dvärg, men han nöjde sig med orden Du Lilla. Hennes litenhet var just sådan att hans kärlek förökades med en tumsbredd smärta, det var en lagom litenhet, om kroppen hade varit ännu mindre och huvudet ännu större hade han kommit att ömka och kanske också ringakta henne.

Nu reste hon sig från pallen där hon satt och drog kjorteln över huvudet och kröp ner mellan lammskinnsfällarna. Könik kom sig inte för med att säga något annat än: Du lilla, ja den stora sjukdomen, du lilla.

Och nästa morgon steg hon inte upp, det var som om hon tänkte: Det här är ingen riktig dag, jag bryr mig inte om den.

Inte heller dagen därpå steg hon upp, hon låg alldeles orörlig, de enda kroppsdelar som fick röra sig något litet var ögonlocken.

Nej, hon steg inte upp mer.

Könik gav henne varm mjölk, nu fick han ju sköta mjölkningen, och han kokade kornmjölsgröten åt henne, han matade henne och han lyfte henne i och ur bädden då det behövdes, när mörkret hindrade honom från att snickra kistor satt han hos henne och karvade tunna strimlor ur en torr lammsida och stack dem i hennes mun.

Ofta kände han på hennes panna, om hon blivit het, och han stack in handen under fällen och strök henne över brösten och magen och låren, om bölder börjat slå upp. Men när han talade till henne svarade hon, hennes röst hade alltid varit späd och lätt, nu hade den ytterligare krympts av förlamningen.

Har du plågor.

Nej.

Vill du ha honung i den varma mjölken.

Jo.

Värker dina armhålor.

Nej.

Ska jag säga dig vilket märkvärdigt moln jag i dag såg över älven.

Jo.

Får jag hålla dig i famnen en stund framme vid elden.

Jo.

Och var kväll berättade han för henne vilka som nu burits till honom och lagts in i hans virkeshus, vilka som nu låg där och väntade. Eller hur han skulle säga.

Det var inte rätt.

Två kaninungar bar han också till henne, de fick bo i bädden.

Nu fanns ju ingen som ägde Jaspars kaniner.

Men Könik kunde inte förmå sig att ligga hos henne, han låg i hörnet vid vedkistan.

Det hade inte varit rätt.

En kväll satt han bara och försökte se henne.

Fåglarna, sade han till henne, fåglarna de lägger sig ner med benen i vädret, de försvarar sig genom att låtsas vara döda. Då de hör jägaren.

Jo, sade Eira.

De tänker att de ska frälsa sig själva, att frälsningen måste vara någon sorts bedrägeri.

Jo.

24

Är du en fågel, sade Könik.

Jo, sade hon. Det kan nog hända.

Så vart de tysta.

Vi får ändå vara nära varandra, sade han. Nära, sade han, det är vad man når med handen, det är vad ordet betyder, ingenting annat.

Sedan trevade han sig bort till sitt hörn och kröp ner i bädden.

Men efter en stund ropade han till henne så högt och gällt han förmådde: Det är inte rätt.

Fåglarna får göra så.

Men människan ska stå upprätt medan hon kan.

Eira visste inte att han hade en sådan röst, hon hade aldrig hört den förr, fastän förlamad började hon darra i hela kroppen, hon darrade sig till sömns.

Begravningsplatsen låg utanför muren.

Muren var ingen mur utan en gärdesgård av kvistade och barkade ungtallar, förfäderna hade kallat den muren, de ville ha en mur omkring Kadis.

Ibland gick Könik ditut tidigt om mornarna, han bar en knippa träpinnar och en kniv. Så satte han märken på gravarna så att det skulle vara möjligt att veta vem som låg här och vem som låg där, med kniven skar han tecken i pinnarna, tecken som betydde ett namn eller ett levebröd eller ett lyte eller något annat som lät sig tolkas och förstås.

Så att allt skulle vara rätt. Rätt människa, rätt grav, rätt pinne, rätt tecken på pinnen.

Nu var alla kaninerna tagna om hand av dem som tillfälligtvis levde i Kadis, somliga kaniner hade bara släppts fria så att de kunde ta hand om sig själva, den tomma kaninburen satte Könik som ett märke på Jaspars grop.

Könik ville bygga kistor som skulle vara lätta att uppstå ur. Därför gjorde han locken av det tunnaste virket och han fäste dem med två tappar som enkelt kunde knackas bort underifrån, i barnkistorna gjorde han inte ens några tappar, han lade bara dit locket som en huv, han ville inte skrämma barnen i onödan.

Virket som han hade torkat, det räckte bara en kort tid, snart blev han tvungen att klyva och nyttja tallarna så färska att träet var som deg under hyveln. Karlarna dog ju först, de behövde större kistor, kvinnorna och barnen klarade sig längre. Då karlarna dog, då fanns mestadels kvinnor och barn kvar och sörjde, men när sedan kvinnorna och barnen skulle begravas, då var där bara enstaka grannar och släktingar på långt håll kvar. Det var helt enkelt så, att ju fler som dog desto färre var det som sörjde.

Döden förblev väl i grunden lika jämmerlig och dyster hela tiden, kroppens plågor och själens fasor var ju desamma, men ändå var han inte lika märkvärdig längre, det var med honom som med kaninerna, ungarna var inte på långt när så sällsamma som kaninkäringen varit i begynnelsen.

Och hon var slaktad nu, kaninen som hette Maria.

Jaspar hade en halvbror, han hette Önde och bodde vid muren snett bakom kapellet. Han hade haft en kvinna som hette Cecilia, men hon hade gått ifrån honom. Det hade kommit en skinnuppköpare söderifrån, en rödhårig jätte som bar skinnen i balar på ryggen, då han försvann tog han Cecilia med sig, hon fick bära ekorrskinnen.

Efteråt hade Önde en skäggkam som han förr inte haft, en kam som tog lusen, det var inte omöjligt att den var silver, kanske hade han sålt Cecilia.

I fråga om Önde var allting ovisst.

Det var Önde som slaktade och åt kaninkäringen, av skinnet gjorde han en mössa, en luden strut.

Han hade en ko, det var väl kon som höll livet i honom, han hade två åkerlappar och brukade stryka löv på allmänningen uppåt älven. Det var ingen reda med hans liv. Nu fällde han ibland virke åt Könik. Men inte var dag och då Könik bad honom, utan endast de stunder det föll honom in.

Om det kom någon främling till Kadis, det hände ju verkligen eftersom den enda stigen uppefter älven ledde till Kadis, då skickade man honom till Önde. Visserligen ansågs Önde på allt sätt vara oduglig, men han var aldrig rådlös.

Vi vet ingenting, sade man. Men gå till Önde.

Könik hade en stav där han gjorde en skåra för var färdig kista, den hängde i en tapp på väggen framför honom. En dag såg han att den var täckt av skåror, det fanns inte rum för en liten rispa mer, och när han såg det, då han såg mängden av skåror och med ens insåg hur mycket död som fanns sammanfattad och avbildad på staven, då fylldes han av en ofattbar munterhet.

Det var vid middagstid, han hade just matat Eira. Hon förblev ju förlamad.

Och han satte i gång att skratta, han skrattade för säkerhets skull och för att befria sig, det var ett skratt som var ofantligt mycket större än han själv, ett gapskratt som frälste för stunden. Ingen hörde honom och han ville inte leva med en sådan munterhet instängd inom sig i en så vidrig tid.

Och en vederkvickande visshet kom över honom, som ett starkt ljus, att han var innesluten i en lögn som någon just tänkte ut, att det var i en skröna som han stod och hyvlade och hamrade och strävade med att förläna döden en fyrkantig, begriplig form, kanske den skrönan som Jaspar begynt med kaninkäringen, en skröna som skulle sluta med att han slog den i spillror och steg ut ur den.

Men det var alltså verkligen så att döden inte längre var enbart sorglig utan även något skrattretande, det var själva mängden av död som var dråplig.

Han skrattade och hyvlade i jämna och tunga tag. Då blev det skumt omkring honom och han lyfte blicken, det stod en främmande karl i dörröppningen.

Jag hörde dig, sade karlen och Könik märkte genast på tonen att han var österifrån, från bortre sidan Kvarken.

Det är hyveln, sade Könik. Det skriker om den för virket är färskt.

Heter det här stället Kadis.

Jo, det är Kadis.

Det är som tyst och stilla här i Kadis.

Alla håller på med sitt, sade Könik. Vi är tystlåtet och allvarsamt folk.

Det är många hus, sade karlen. Men jag ser inga människor.

Han hade en skinnpåse hängande på bröstet, den var inte stor men såg tung ut.

30

Många har lutat omkull sig ett tag, sade Könik. Men de står nog upp igen.

Nu talade karlen om att han hette Olavus och att han brukade handla med alla sorters varor.

Det lär finnas ett gift som helar dem som är förlamade, sade Könik. Aldrig hade han hört talas om något sådant gift.

Jag bär inga varor med mig, sade Olavus handelsmannen. Jag vill köpa, inte sälja.

Sedan sade han: Du hyvlar bräder till en kista.

Allting ska finnas, sade Könik. Kistor ska också finnas.

Vem har dött, sade Olavus misstänksamt.

Ingen särskild har dött. Och någon gång måste ju någon dö.

Och utan att det hörde dit sade han: Min kvinna ligger och är lam.

Om man vill köpa, om man vill veta om något går att köpa, om man vill veta vad som finns i Kadis, sade Olavus, är det då dig man ska prata med.

Jag vet ingenting, sade Könik. Men gå till Önde.

Könik hade ställt ifrån sig hyveln för att visa att han gärna pratade ännu en stund. Han grubblade över skinnpåsen som karlen Olavus hade på bröstet.

Var finner man Önde, sade denne Olavus.

Han bor uppe vid muren snett bakom kapellet.

Jag såg ingen mur då jag kom, sade Olavus.

Nej, det finns ingen mur men den heter så.

Och han heter Önde således.

Jo. Önde.

Könik slog de klibbiga hyvelspånen av kjorteln. Jag kan gå med dig ett stycke, sade han.

När de kom upp till kapellet pekade han på Öndes hus, det kom rök ur taköppningen, han var hemma.

Jag har också hört, sade Könik, att det finns järn som är så vassa att de skär kvistar som om kvistarna var smöret.

Jo, sade Olavus.

Så att om du hade haft varor med dig. Om du hade haft ett sådant järn.

Han stod kvar och såg den där handelsmannen gå in genom Öndes dörr, tomhänt skulle han väl inte behöva gå från Önde, i varje fall skulle han inte säkert veta att han var tomhänt.

De satte sig på träkubbarna vid eldpallen, Önde och Olavus, Önde eldade och Olavus talade om vem han var. Och Önde gick ut och hämtade en kagge från jordkällaren och bjöd på något som han kallade öl, två träskopor tog han ner från väggen, jo öl, något som kanske var öl eller skulle ha kunnat vara öl om det hade haft någon sötma så att det förmått jäsa

32

och inte bara surna.

Ett sådant öl, sade Olavus, har jag inte druckit på länge. Inte sedan jag var hos biskopen för två år sedan.

Jag brygger det själv, sade Önde.

Skarpt men inte bittert. Och friskt och livande i lukten.

Det är björksaven, sade Önde.

Har många dött här i Kadis den sista tiden, sade Olavus.

Talar vi ännu om ölet, sade Önde.

Nej. Nu talar vi om döden.

För tre år sedan dog min morfar, sade Önde. Han fick en avbruten grankvist i naveln då han fällde träd, vatten rann ur honom i sådan mängd att han skrumpnade ihop och dog.

Öndes morfar hade dött för några dagar sedan, täckt av bölder och hastigt.

Jaha, sade Olavus.

Han var över sjutti år, sade Önde, men det var klart och gult som fostervatten.

Och ingen annan, sade Olavus. Ingen ytterligare.

Icke som jag nu kan minnas, sade Önde.

Olavus tvingade i sig små klunkar av ölet.

Det finns något som heter den stora sjukdomen, sade han.

Och Önde upprepade det långsamt och högtidligt, detta var något som han kanske måste lära sig och minnas: Den stora sjukdomen.

Och varför kallas just den sjukdomen stor. Är inte all dödlig sjukdom stor.

Han är ofantligt mycket större än människan, sade Olavus, därför kallas han stor. Människan är en liten loppa mot den stora sjukdomen.

Och han visade med högra handen vad som sker med loppan människan, han knep den och klämde ihjäl den mellan tummen och pekfingret.

Hurudan är han, sade Önde. Den stora sjukdomen.

Han är hetta och spyor och blod och röda bölder och svarta bölder.

Du har således sett honom.

Jag har hållit mig till världens yttersta kanter för att aldrig behöva se honom.

Och besynnerligt var det att han snyftade till då han nämnde världens yttersta kanter.

Men, förklarade han och nu sänkte han rösten så att Önde måste luta sig fram mot honom för att höra vad han sade, han hade samlat kunskaper om honom, allt som var värt att veta om den stora sjukdomen hade han tagit reda på. Det hade nu länge varit hans sjukdom: allt som kunde sägas om den stora sjukdomen måste han samla i sitt minne. Och det visste han slutligen: det fanns en enda bot, ett ensamt medel som kunde frälsa världen, och det var nu därför han kommit till Kadis.

Jo, sade Önde. Jo det förstås. Men vad skulle det då kunna vara. Själva botemedlet.

Bävergäll, sade Olavus. Det är bävergäll.

De satt tysta en stund och tänkte över detta lilla oansenliga, den lilla knulan i bäverns ljumske, denna lilla skrumpna och ofattligt stora ärta.

Du nämner inte Gud, sade Önde. Gud skulle således inte kunna frälsa världen.

Öndes ko stod bunden vid väggen mittemot dörren, ibland suckade hon dystert, hon hade ett tråg med torkat löv.

Gud har man prövat på alla vis och överallt, sade Olavus. Gud som bröd och man har druckit honom och stött honom till pulver och blandat honom i gröten och man har smort honom på bölderna. Men icke.

Jo, sade Önde, i fråga om Gud får man ju pröva sig fram.

Nu säger vetenskapen att Gud själv bor i den stora sjukdomen, sade Olavus. Och Gud kan inte med Gud fördrivas.

Men har man provat på att begagna djävulen, sade Önde.

Han ville låta höra att det fanns kunskaper även i Kadis.

Jo. Nog har man stött djävulen i mortel och löst upp honom i vatten och bakat in honom i hålkakor. Men han är maktlös, han smakar bittert men är maktlös.

Om den stora sjukdomen kom hit till Kadis, sade Önde, då skulle vi låta honom vara. Vi skulle inte oroa honom i onödan. Vi ofredar aldrig någon främmande som kommer hit.

Någonstans ifrån kom det en liten kanin, kanske ur lövtråget, Önde lyfte upp honom i knäet.

Men nu visste man alltså säkert att bävergäll. I främmande länder hade det hänt att de redan döda börjat andas då man matat dem med bävergäll.

Och Olavus upplyste Önde:

Bävern kände ingenting till om ont och gott, han var obekant med både Gud och djävulen, han var renast och smutsigast av alla djuren, han skilde inte ens mellan land och vatten. Och bakerst i bävern, i den okunnigaste delen av bäverkroppen, mellan tarmens öppning och könet, där vilade bävergällen i mörkret mellan liv och död, orörlig och i ständig rörelse, levande men ändå död.

Det var det som var hemligheten. Därav kom kraften.

Själv hade han således i världens ytterkanter, han Olavus, särskilt i den nordligaste ytterkanten, bytt varor emot varor, alltid större mot mindre, ständigt strävande efter det allra minsta och mest lättburna: silvret och guldet.

Det hade han här i påsen.

Nu återstod blott att växla silvret och guldet mot bävergäll.

En påse bävergäll, och livet och all jordens rikedomar skulle vara hans.

Det visste han: Av skapelsens alla sällsyntheter var bävergällen den mest enastående, förgäves hade han sökt den i mer än ett års tid, stundom hade han i förtvivlan sagt sig: Det finns ingen bävergäll, bävergäll är bara ett ord och ett bländverk.

Men nu hade man sagt i Ume: Kanske att i Kadis.

Jo jo, sade Önde.

Kon suckade, utifrån hördes inga ljud, inte ett ljud hade de hört sedan de satte sig vid härden, det var mycket tyst i Kadis.

Det är mycket tyst här i Kadis, sade Olavus.

Jo, sade Önde.

Och fridfullt och på något vis folktomt.

Jo.

Jag har mycket undrat, sade Olavus handelsmannen, jag har mycket undrat sedan jag kom hit var allt folket är.

De är i skogen, sade Önde, långt uppefter älven, ända upp mot fjället, det är ju bäckarna och biflödena, det här är den tid på året då vi tar bävern.

Tar bävern, sade Olavus.

Jo, sade Önde. Storhopen av karlarna. Och även kvinnorna och åldringarna och barnen.

Ni tar alltså bävern, sade Olavus och han var med ens så skärrad att rösten lät som en sälgpipa.

Endast de bästa skinnen, sade Önde. Vi kan ju icke låta Kadis försvinna under ett berg av bäverskinn och rumpor.

Och bävergällen, sade Olavus.

Den torkar vi i knippen i röken. Och lägger i säckar.

Och sedan.

Vi blandar den i mjölet åt kreaturen. En säck bävergäll och tre säckar korn. Men om någon skulle vilja köpa en säck är vi väl aldrig omöjliga.

Då föll Olavus på knä vid träkubben och tackade Gud och han till och med rörde vid Önde med händerna som nästan var förlamade av tacksamhet.

Och medan han bad sade Önde till honom att han gott kunde vänta här i Kadis, om några veckor kom folket med bävrarna, eller han kunde gå vart som helst och återvända då bävergällen var rökt och torr, han kunde även vara med och vräka bävergällen i säckarna, säckarna brukade de väva av grövsta linnet.

Och Olavus sade: Jo, det blir bra, allting kommer att bli obegripligt bra. Och han tömde ölskopan, nu var ölet sött av glädje och förundran.

Det var sedan nödvändigt att Önde fick visa honom Kadis. Önde prydde sig med kaninskinnsmössan. Och Olavus kunde inte låta bli att nämna att Kadis var den skönaste och mest välordnade plats han sett på jorden.

Men så kom han ändå ihåg vad Könik hade sagt.

Snickaren, han som hyvlade bräder till en kista, han sade att folket sov och snart skulle stå upp igen.

Jo, sade Önde, bävrarna är den största hemligheten vi har här i Kadis, aldrig att vi nämner dem för någon främmande.

Men du har berättat om dem för mig, sade Olavus.

Det är annat med dig, sade Önde, du ska ju bli kvar här i Kadis.

Och de gick ut och såg Kadis, de många husen som var alla lika, fyrkantiga och timrade av rundbarkade tallar, nävertak och en rököppning, noga räknat var husen ingenting att se, ett enda rum och härden mitt i rummet, härden var av den sorten som kallades eldpall. Och icke en människa såg de, det var ju så att de som nu levde inte gärna gick ut, de höll sig inomhus och satt eller låg och väntade på att få dö, till och med barnen som fanns kvar hade blivit liksom allvarliga och högtidliga.

Skinnpungen med guldet och silvret var så tung att Olavus hela tiden gick och höll upp den med ena handen för att remmen inte skulle tynga för hårt om halsen. Och Önde drog in honom i husen som var tomma och han hade honom att provligga halmen i de övergivna bäddarna och smaka det torkade köttet som folket lämnat efter sig då de drog ut för att fånga bävern och läppja något litet på ölet eller den syrade mjölken som stod framme här och var, jo det var så att längtan till bäverskogen kom över kadisborna så handlöst att de bröt upp i en förfärande brådska, när tiden var inne steg de bara upp och gav sig iväg, de överrumplades och drabbades av bäverfrossan och bäverfebern, därför lämnade de allt som om de dött ifrån sina hem och ägodelar.

Och han lät honom se kapellet, där var nu så mörkt att ingenting syntes utom det där korset som Könik hade fogat ihop, och Olavus frågade efter prästen.

Han har dragit iväg efter bävern, sade Önde, han gav sig av bland de första.

Jo, det var icke utan att det fanns något av blodtörst hos prästen, han var också alldeles oumbärlig då man trängde in i bäverlandet, det var han som skulle gå i spetsen, utan honom kunde de stora bäverhemligheterna aldrig uppenbaras och genomskådas. Han gick främst och han hade en stav med en tvärbalk som han höll utsträckt framför sig, och den staven var som en slagruta, den vred sig i händerna på honom, staven vart liksom mäktigare än prästen, och den pekade rakt och tveklöst ut bäverns tillflyktsort, gömman som var oskönjbar och oåtkomlig för mänskligt förnuft.

Så visade Önde allt som fanns att se i Kadis och berättade allt som fanns att berätta, först i kvällningen var de tillbaka i hans hus.

Olavus var då så trött och slak att han genast ville lägga sig, detta hade varit en vidunderlig dag, han tackade Gud för Kadis, då han stängde ögonen såg han högar av bävergäll, de var som gödselstackar, härifrån skulle han dra ner genom landet med mäktiga linnesäckar proppfulla med frälsning, det var nu nödvändigt att han vilade sig.

Så blev han då het, det var först en behaglig och rogivande hetta, sedan mera svidande och upprörande, han blev tvungen att oupphörligt vrida och vända sig, halmen smulades sönder under honom och blev till damm som han andades, och i armhålorna och ljumskarna växte värkande bulor fram.

Önde kom och satt hos honom, han hade en kanintass, det var helt enkelt ett av moderkaninens framben, den tassen doppade han i vatten och baddade Olavus i pannan och på kinderna, för Olavus var det som en kvinnas fingertoppar.

Och Önde berättade för honom om slutet på bäverjakten, hur allt skulle gå till då folket vände åter

41

med fångsten, den släpades på otaliga kälkar av sammanbundna aspslanor, hur de jämt brukade göra sedan urminnes tider. Prästen gick först och bävrarna staplades och travades i kastar framför kapellet och prästen stänkte vatten på dem, och Yvar smeden delade ut de nyslipade knivarna, det var knivarna där skaften var gjorda som bäversvansar, de fick aldrig brukas till annat än detta: att sprätta bävergällen. I tre dagar och tre nätter satt folket i Kadis på huk framför kapellet och sprättade och sprättade, det gällde att vara varlig med kniven så att inte själva saften rann ut, själva gälldroppen, och prästen samlade bävergällen i videkorgar och korgarna bars runt till husen och tömdes på kohudar framför härden, det var barnen som sedan band ihop dem så att de kunde hängas till torkning och rökning. Men på den tredje dagen då stod alla upp, då var bävern färdigsprättad, och man torkade blodet från händerna och skrapade skinnslamsorna och håret och inälvorna av kjortlarna och sedan vidtog den stora bäverfesten, det var en fröjd utan like, då var Kadis den sällaste och muntraste orten på jorden. Ölet drack man i skopor ur karen och man dansade besinningslösa och angenäma och ohyggliga danser, par om par eller i stora hopar eller i ensamhet allt eftersom man ville ha det, och man skrek och stampade i marken så att bäverblodet skvätte.

Och han berättade om alla människorna, de som dragit bort men som han skulle återse i festens glädje, han nämnde dem vid namn och återskapade deras ansikten, och när han gjorde det då krympte hans strupe så att orden fastnade innan de nådde munnen och ögonen började rinna, särskilt såg han Jaspar halvbrodern som han såg ut då han kom hem med kaninen, ja han rördes till tårar av sin egen berättelses plåga.

Sjunga skulle man även, ännu hade det aldrig hänt att man glömt att sjunga, främst var det kvinnorna som sjöng, de nynnade och vaggade med överkropparna, och sedan skulle också karlarna stämma in, sången skulle brusa som ett stort vatten genom Kadis, den djupaste saligheten fanns i sången, du kan aldrig begripa denna hänryckning Olavus, ja sannerligen säger jag dig, snart ska du vara med mig på bäverfesten.

På Olavus handelsmannens bröst låg skinnpåsen, han höll om den med bägge händerna, då han suckade rasslade guldet och silvret. Men han vart mer och mer stilla, Önde kunde ju för mörkret inte se utan bara höra honom. En enda gång ropade han till, det var som om han väckts av någon smärta och han halvsatte sig upp och sade mycket redigt och klokt:

Vi som ska leva, vi som ska överleva, vi måste hysa

medlidande med dem som ska dö, vi som nu ska bli frälsta därför att vi har bävergällen, vi har ju själva utfört så litet, vi har bara råkat träffas av Guds förskonande vilja. Vi ska glädja oss åt livet för det finns ingenting kostligare än livet, men vi får inte försumma att be för dem som måste dö, dem som aldrig hört talas om bävergällen eller som kanske är för fattiga att köpa den, den kommer sannerligen icke att vara billig, vi ska be till Gud att han helar dem och botar deras sjukdom i evigheten eller på domens dag.

Sedan sjönk han ihop igen, han andades fort och pipande och Önde kände på honom med handen, svetten flödade på hans bröst, han hade rivit upp tyget under halsen för att få svalka. Då lutade Önde sig fram och torkade honom med sitt torra och sträva hår, han samlade upp all svetten i håret, han tryckte och gned försiktigt så att det inte skulle göra ont, håret blev som granlaven i snösmältningen och han fick vrida ur det över jordgolvet.

Och slutligen sov Olavus. Eller vad han nu gjorde.

Då trevade sig Önde över till andra väggen och kröp ihop på kofodret, höet och löven, det var där Cecilia hustrun hade legat medan han hade henne, och han överlämnade sig åt sömnen och åt Guds förbarmande, där han ju egentligen redan befann sig.

44

Sedan också dödgrävaren dött, ja inte bara dödgrä-varen utan även hans söner och hans dräng, den lille snedaxlade och krumbente Ruald som hade varit liksom skapad att stå nere i gropar och skovla, sedan dess var det Könik och Önde som begravde folket i Kadis. Önde var en stark och flink grävare, ofta tog han i så att grepen brast, men det hade ingen större betydelse eftersom det numera var gott om spadar i Kadis, spadar som karlar ställt ifrån sig i jorden där de arbetat och som de hade tänkt gripa fatt i genast när det blev morgon igen.

Att begrava dödgrävaren var bekymmersamt, de kände ju inte konsten som han, han var en mästare utsatt för nybörjares valhänthet, de begravde ho-nom med skam, de kände att de gjorde intrång på hans mark, det var inte rätt.

Könik grävde med dödgrävarens egen spade, då allt var färdigt lät han spaden stå på graven. Och han tänkte på hur tillfällig människan är, också en dödgrävare.

Men sedan dess hade Könik en kista stående som han snickrat för egen del, en kista som inte fick nyttjas av någon annan, ingen skulle i stor hast få fuska samman en skev och undermålig låda åt honom den sakkunnige. Och han gjorde också en liten kista åt Eira hustrun, den ställde han ner i sin egen, och han blev torr i munnen och ögonen började svida då han såg hur hans kista omslöt och gömde hennes, den lilla späda och ömtåliga kvinnokistan som lika gärna kunde ha varit en barnkista i den grova och starka manskistan. Och han gick in till henne, han tog en stunds vila från arbetet och lyfte upp henne den lama och höll henne i sin famn, han inneslöt henne i famnen som om han varit ett hölje eller gömme där hon den bräckliga kunde vila tryggt.

Annars hade Könik och Önde inte tid för något annat än att försöka hålla jämna steg med sjukdomen. Önde högg virke och klöv det och han grävde gropar, Könik hyvlade och timrade, ibland grävde också han, och tillsammans förrättade de begravningarna.

Det var det allra svåraste, själva begravningarna.

46

Att gräva hålet och att sänka ner kistan gick väl an, att lyfta och baxa och kröka rygg och stöna, det var händernas och kroppens verk och ingenting annat. Men rörelserna som skulle utföras, orden som skulle sägas, de hemlighetsfullt obegripliga orden och lätena och de små åtbörderna med huvud och fingrar, allt detta som lågmält skulle sändas bort med den döde, det som han skulle ha med sig hem till evigheten, detta som sammanfogade det tillfälliga och det eviga livet och som även band döden nere i jorden, det som prästen och ingen annan med verklig sakkännedom kunnat utföra, det vållade dem ohyggliga svårigheter, ja de blev mer nedstämda och dystra av sin oförmåga att rätt hantera döden än av döden själv.

Efter prästen hade dödgrävaren tagit vid, han hade fortsatt där prästen slutade, han hade ju sett och hört alltsammans otaliga gånger, för honom hade det fallit sig alldeles naturligt, han hade till och med lånat en av prästens kappor ur kapellet, en brun kappa med ett vitt kors över ryggen, han hade nog länge vetat att steget från hans egen syssla till prästens var försvinnande kort, kanske hade han till och med brukat tänka att hans egen förmåga att handskas med det eviga och gudomliga och frälsande var väl så god som prästens. Rättframt och insiktsfullt hade han härmat prästen.

Nu härmade Könik och Önde dödgrävaren.

Det var inte rätt. Och det hade varit orätt att inte försöka, att likgiltigt lämna de döda åt sitt öde.

Men prästens kappa hade de burit tillbaka till kapellet.

De nynnade entonigt och lågt och de sade ord som de aldrig hört förr, ord som kunde ha vilka bindande och befriande innebörder som helst, det var när de hade satt ner kistan i gropen och innan de skyfflade jorden tillbaka, och de gjorde stora tecken i tomma luften med händerna. Och Könik hade en spann vatten och en kvast och han stänkte vattnet över kistan och gropen och jorden runtomkring.

De tänkte sig att Gud själv visserligen inte var där, men de ville ändå vända sig till honom och åkalla honom så gott de kunde.

Tjälen och Gud var det svåraste som de hade att arbeta med. Tjälen var nästan tre fot djup under kallaste vintern, Önde fann ett vässat spett hos Yvar smeden, det tog han, Yvar behövde det ju inte mer, med spettet luckrade han den frusna jorden.

Och Önde sade till Könik: Om inte sjukdomen och döden ska frysa ihjäl.

Men Könik visste inte, kanske var det sommarens hetta som skulle förbränna den stora sjukdomen, kanske kände sig den stora sjukdomen hemma i kylan, kanske var den stora sjukdomen själv den mest ohyggliga kyla, en släkting till isen och frosten och bottentjälen och norrskenet som brukade brinna över Kadis. Så att den stora sjukdomen liksom gjorde sig goda dagar inne i vinterns vedervärdighet.

Det var de också tvungna att göra: elda. I sina egna hus men även hos somliga sjuka under den korta sjukdomstiden, mestadels bara en hastigt uppflammande eld för allting gick ju så fort, någon verklig sjukdomstid var det aldrig tal om, det var bara liv och genast därefter död, en flyktig brasa så att de döende liksom såg en bild av den egna tillvaron, och de eldade hos andra som i sin skräck ingenting förmådde. Och Önde eldade på marken där han skulle gräva.

Men i kapellet eldade de aldrig. Det fanns en härd mitt på golvet, men för vem skulle de ha eldat. Prästen var ju borta och hur det var med Gud visste de inte, sakerna som prästen hade burit med sig till Kadis fanns ju kvar där, men varken Könik eller Önde visste hur de skulle brukas, föremålen som han hade använt för att framkalla Gud och sätta honom i rörelse, oljan och röken och vattnet och brödet som han begagnat då han delade ut Gud åt dem. Men Könik kunde utantill några ord, ett litet stycke bara som prästen hade lärt honom, och de orden brukade han säga då och då, mestadels då han någon kort stund satt hos Eira som under hela vintern inte rörde en enda av sina kroppsdelar, hela vintern eller hur lång tid som nu förgick på detta sätt. Gud fanns väl inte i orden men han tyckte om att minnas Gud och att erinra sig tiden då prästen levde och de samlades i kapellet och alla levde som skulle leva. Och han hade kvar en liten kagge av ölet som Eira hade gjort medan hon var på benen, han brukade ta bara bottenskylan i trämuggen så att han kunde fukta läpparna och känna lukten, var oss nådig, fräls oss milde herre Gud, från allt vad ont är, från allt vad synd är, från djävulens försåt och list, från vrede och hat och allt ont uppsåt och från den eviga döden.

Om det var rätt visste han inte.

Nej, varför skulle de ha eldat i kapellet, de hade återlämnat den lilla byggnaden som ändå var störst i Kadis åt mörkret och tystnaden och kylan, således åt Gud själv, som Könik råkade säga en gång.

Men det hände att Könik gick in där då han hade vägen förbi, han gick bara in och stod en stund, fräls oss milde herre Gud från allt vad ont är, och då kunde det också hända att han fann någon annan där, någon som bara gått in därför att han haft vägen förbi och som bara stod där, och det blev genast på något sätt kusligare och mera skrämmande tomt därinne, det kändes med ens mycket tydligare hur ohyggligt frånvarande något obestämt var, något som de pinligt och bittert saknade och som just tack vare saknaden och tomheten nästan blev så närvarande att det kunde förnimmas med handen.

Förr hade karlarna brukat pissa på ett särskilt ställe bakom kapellet, om vintern hade ingen snö kunnat ligga där och om somrarna hade gräset blivit förvuxet och manshögt, de hade stått därinne bland stråna som var som vass, och vipporna och axen hade kittlat dem i örsnibbarna och munnarna, det hade varit som en helgedom. Men dit gick nu ingen, inte heller Könik, det hade varit alltför smärtsamt.

Hur kunde de uthärda hela denna vinter. Om det nu verkligen bara var en vinter.

Genom att aldrig låta den synas och kännas som en hel, lång vinter, genom att stycka den i dagar och nätter och små, små stunder, genom att sönderdela den så att den i sin helhet och ohyggliga utsträckning aldrig kunde förnimmas. Också dagarna och stunderna kunde spjälkas upp och styckas ända ner till fötternas steg ett i sänder, fingrarnas olika små rörelser, ögonlockens blinkningar och bröstkorgens andetag. Genom att mala ner tiden liksom i en handkvarn.

Den morgonen då Önde vaknade och fann att Olavus handelsmannen var död, ja han förvissade sig nogsamt om att han verkligen var död, han klämde på honom och stängde hans ögon så gott det nu gick, då gjorde han först eld och rörde ihop en gröt åt sig. Och sedan han ätit befriade han Olavus från allt sådant som var onödigt tyngande och som en död handelsman inte längre kan tänkas ha någon nytta av, och han lyfte upp honom på sina armar och bar ut honom, det var som att bära en stock, rotstocken av en tall.

Och fastän Olavus var tung bar han honom vägen förbi kapellet, varför visste han inte, och han bar in honom och stod en stund nere vid dörren, på något vis kunde det kanske hjälpa och det kunde i varje fall inte skada, han gjorde det både för sin egen och för den andres skull. Han försökte till och med komma ihåg ett eller annat ord som han hade hört att prästen brukade säga därinne, men det förmådde han inte. Han hade jämt haft dåligt minne, Önde.

Sedan gick han till Könik, sista stycket vart Olavus så tung att han kastade upp honom på vänstra axeln och höll honom i de styva knävecken med bägge händerna.

Det är Olavus jag kommer med, sade han till Könik. Den där handelsmannen.

Jo, sade Könik. Jag begrep det nästan.

Han skulle aldrig ha kommit hit, sade Önde.

Nej, sade Könik. Det är svårt att förstå.

De som har bott här i Kadis hela sitt liv tål inte

längre att leva här, sade Önde. Hur kunde han då tåla det.

Han hade lagt ifrån sig Olavus på snickarsätet.

Du skulle ha skickat bort honom, sade Könik. Du skulle ha sagt det som det var, att vi har den stora sjukdomen.

Det var just det, sade Önde. Han var så ohyggligt rädd för den stora sjukdomen, han hade en sådan skräck för honom att han hackade tänder då han pratade om honom. Så jag kunde inte förmå mig att säga det åt honom.

Du kunde ha frälst honom. Det är din skuld att han nu ligger här.

Könik hade en liten träklubba i handen, klubban han använde åt stämjärnen, han knackade Olavus på det döda huvudet för att ge ytterligare tyngd åt sina ord.

Det var till dig han kom, sade Önde. Det var du som skulle ha skickat bort honom. Det var du som skulle ha sagt som det var. Det var du som kunde ha frälst honom.

Du vet lika väl som jag, sade Könik, att det inte är min sak. Att ta hand om dem som kommer och är främmande.

Likväl talade du med honom. Du gav dig tid att prata med honom om både det ena och det andra.

Han ville veta om han var i Kadis, sade Könik. Och

53

det kunde jag ju inte neka för.

Jo, sade Önde.

Och jag pekade ut hur han skulle gå. För det var ju till dig han skulle.

Jag visste mig ingen råd med honom, sade Önde. Han var omänskligt tilltagsen och framfusig.

Det syntes inte, sade Könik. Fast jag hann ju knappast se honom.

Och ohyggligt nyfiken i fråga om den stora sjukdomen, sade Önde, han ville inte prata om något annat. Han pratade och skallrade tänder, pratade och skallrade tänder, det var vad han gjorde.

De såg bägge på Olavus, Könik hade två tjärvedsstickor som brann, Önde hade inte riktigt förmått stänga hans ögon.

Det hade de sett flera gånger nu då folk dog: de låg vanmäktiga och höll igen ögonen, men just då de dog spärrade de upp dem, som om själva ansträngningen att lyfta ögonlocken var nog för att ta död på dem, som om detta att dö hade varit just att öppna ögonen.

Och jag tänkte, sade Önde, jag tänkte att det enda jag kan göra är att visa honom allt. Så jag tog honom med mig och lät honom se alla de ställen där den stora sjukdomen har hållit till.

Jo, sade Könik.

Men jag tyckte det var onödigt att tala om för honom vad det var han såg, det hade han icke tålt.

Nej, sade Könik.

Jag ville skona honom, sade Önde. För han var ju uppfylld av en sådan vedervärdig skräck.

Sedan var de tysta en god stund, de skärskådade Olavus som om de väntade sig att han ändå skulle säga något, som om de tyckte att han borde ha sagt något befriande. Eftersom allting nu var som det var.

Men till sist sade Könik: Och penningpåsen. Den där skinnpungen.

Önde hörde nog inte Köniks fråga om penningpungen.

Hur går det för Eira, sade han, hur har du det ställt med Eira.

Hon ligger där hon ligger, sade Könik.

Och han sade också: Så länge hon ligger och är lam behöver jag inte oroa mig för henne.

Och maten, sade Önde. Och avföringen.

Det sköter jag, sade Könik. Hon är som en fågel.

Sedan frågade han än en gång om den där skinnpåsen som Olavus hade haft.

Och jag tänkte då jag såg den, sade han, att han kommer åtminstone att kunna betala för sig. Det är länge sedan jag fick betalt för mitt arbete, vem skulle kunna betala mig.

Jag såg inte att han hade någon penningsäck om halsen, sade Önde. Men troligast är väl att han tappade den. Skinnremmen brast och han tappade den, särskilt om den var full och tung som du säger.

Och Könik sade ingenting.

Han var ju så uppjagad och orolig, sade Önde. Så han märkte aldrig att den föll ifrån honom. I älven. Eller i en brunn. Eller i rupriset där ingen kan finna den.

Könik såg på Olavus, det var honom han tänkte på. Önde var ju som han var, han var som en orm-gran, hyveln och järnet tog aldrig som det skulle, nu stod han och letade loppor i skägget.

Så Könik sade bara: Han kunde ha fått ett silver-stycke på vart ögonlock.

Innan Önde gick därifrån, innan han lämnade Könik och Olavus ensamma, då han redan var i dör-ren, då sade han: Jag har hört att bävergällen lär ska kunna hjälpa.

Både Yvar och Ruald använde bävergällen, sade Könik. Och de dog bland de första.

Och Könik lyfte undan Olavus så att han kunde komma åt att arbeta med virket. Förr hade han jämt använt en mätstav, nu klarade han allt med ögon-mått. Och han hade brukat snida slingor och rankor på locken och väldiga ormar som ringlade sig om varandra, ormar utan slut, han hade velat bifoga som ett litet minne av livets skönhet, ibland hade han även skurit ett sirligt kors och narat fast på locket. Men nu gjorde han bara allting så slätt han kunde. Det var som om döden hade blivit för stor för sådana barnsligheter.

Och Önde var tvungen att få prata med någon, han ville gå till någon som ingenting visste om någonting, han ville prata menlöst och renhjärtat med någon.

Han gick till Avar.

Om man gick från Öndes hus förbi kapellet och över platsen som de kallade torget och sedan fortsatte rätt fram hundra steg, då kom man till Avars hus. Näst efter kapellet var det huset störst i Kadis.

Avar hade varit ende sonen och hans far hade varit ende sonen och både hans far och han hade gift sig med kvinnor som var enda barnen, därför hade han ärvt mer än någon annan i Kadis, han var i första hand arvinge och ingenting annat. Han hade tegar som kunde föda fyra kor och ändå odlade han korn så att han varje vinter kunde köra flera lass till Ume, det var utöver hushållskornet och griskornet. Med Tyra hustrun hade han fått en son som fick heta Egvard och som skulle bli arvinge efter honom. Men sedan fick han också en dotter, det var aldrig meningen, en rödlätt dotter med stora öron, och han gav henne ändå ett namn, Ädla. Avar hade mycket grubblat över vad han skulle göra med denna dotter, hon var ju onödig och överflödig och hon åt mycket utan att det blev något fett på henne, han hade övertalat Tyra att försöka ligga ihjäl henne då hon var liten. Men Tyra var alltför tunn och mager och han var inte alldeles övertygad att hon verkligen hade gjort sitt bästa.

Men nu var både Tyra och Egvard döda, de hade farit all världens väg som de flesta andra, och Avar var ensam kvar med Ädla, och han älskade henne mycket.

De satt inne i mörkret då Önde kom, det var bara glöd på eldpallen och det var alldeles tyst, Avar och Ädla satt liksom och sov, det var vad de mest gjorde. Men Önde tog en tjärsticka och blåste på glöden och fick liv i den, han ville ha ljus då han pratade.

Sedan sade han att han inte hade något särskilt att uträtta, han ville bara för en gångs skull se ett par lyckliga människor.

Ädla hade ett skinn över låren och en skrapa i handen, kanske hade hon på något sätt suttit och arbetat i halvsömnen, hon var stor och mager, förra vintern hade hon fått brösten.

Du lär ha väldiga buntar av kalvskinnen på åsarna, sade Önde.

Då såg Avar upp litet försiktigt och sade: Jo.

Och jag har hört att du har torkat fisk för flera år,

58

om du så hade tie munnar att mätta.

Det kan nog vara sant, sade Avar.

Och järnämnen till spadar och spett och hackor i hundratal.

Nu hade Avar rätat upp sig.

Jag har inte räknat dem så ohyggligt noga, sade han.

Och ett fähus, sade Önde. Med åtta liv.

Tie, sade Avar. Du glömde grisen. Och en spädkalv.

Jo, sade Önde. Jag kan icke säga annat än att det övergår mitt förstånd.

Vad som övergår mitt förstånd, sade Avar och reste sig upp så att han stod på golvet, det är att det finns människor som kan leva med två tomma händer. Blottställda och urarva.

Jo, sade Önde, du behöver ju aldrig gruva dig för morgondagen.

Och ändå, sade Avar och tände ännu en tjärsticka som han stack fast i kanten på eldpallen, ändå är det mycket du inte kommer ihåg och mycket du aldrig har vetat om. Då du nu talar om vad som är mitt.

Det förstås, sade Önde. Men det vet ju alla att du har ofantligt mycket som ingen vet.

Det finns också sådant som är gömt ute i skogen, sade Avar, sådant som är så väl gömt att inte ens lekatten kan finna det.

Nu stod han mitt på golvet och fäktade med armarna, han pratade långsamt men ändå ivrigt, för vart ord nickade han med huvudet. Och de två tjärstickorna lyste präktigt på honom.

För att icke tala om vad som kan ligga förborgat både här och där i jorden, fortsatte han. Skinnsäckar och plåtskrin och trälådor. I verkligheten vet du nästan ingenting Önde.

Nej, sade Önde. Jag tror mig inte veta särskilt mycket. Och ändå vet man ju jämt mycket mindre än man tror.

Jag säger icke att allting finns som jag säger, sade Avar och nu var han så het och livad att han stammade, men jag vill ändå nämna vad som kan finnas, så får du räkna ut resten själv. Det kan finnas silverplåtar som är som handflatan. Och det kan finnas koppartackor som är som hästskallar. Och det kan finnas genomskinliga bitar av okända ämnen, både röda och gröna. Och det kan finnas guldpenningar med bilder av konungar och drottningar och ormar.

Så vart han tyst.

Nu har jag kanske sagt för mycket, sade han. Och ändå har jag inte sagt allt. Nej, långtifrån.

Och han satte sig igen, kanske blev han trött av att huvudstupa prata så mycket.

Det ska du veta, sade han, det ska du veta Önde, att nästan vad som helst kan finnas.

Där satt de, även Önde hade satt sig på en pall som stod vid dörren, och tjärvedselden lyste på dem och de tänkte på allt detta silver och guld och all kopparn och alla ädla stenarna som kanske fanns, dessa tänkbara rikedomar, de tänkte länge, Ädla rörde tankspritt skrapan mot skinnet, och alldeles oförmodat började Önde gråta, han blev själv förvånad då han kände att tårarna kom kullrande nedför kinderna och näsan. Stor och lång och grov och ful var han, men ibland grät han förvånansvärt ymnigt.

Och när Avar såg det sade han eftertänksamt:

Jo du, Önde.

Önde hade svårt med rösten, han hade slem i strupen och var tvungen att kraxa, och det lät huttrande och stapplande då han sade: Jag sitter och tänker på vem som ska taga hand om allt detta som kanske finns, vem som ska kunna hålla reda på det som finns och det som måhända finns och skilja det från sådant som aldrig har funnits, vem som ska göra det då du är borta, Avar.

Och Avar vände fort huvudet mot honom och sade mycket högt och tydligt:

Det ska ju Ädla göra.

Men nu talade Önde om vad han visste, det som han hade känt sig tvungen att få tala om för vem det än var, det som Olavus handelsmannen hade sagt honom, att det förvisso var den stora sjukdomen som härjade i Kadis, ja inte bara i Kadis utan överallt där människor bodde, att han också kallades Guds Vrede, särskilt den sorten som slagit sig ner i Kadis och som dräpte de sjuka på en dag eller en natt, den sorten alltså som nästan inte var någon sjukdom alls utan endast och allenast var död och förintelse, som var döden i sin renaste form.

Medan han pratade slocknade den första tjärvedsstickan, den som Önde hade tänt då han kom, och Avar som nyss hade verkat riktigt stor och stinn och rak i ryggen såg ut att sjunka ihop en aning i dunklet. Och det kom fram tre kaniner, de hade suttit och gonat sig under Ädlas kjortel, de tuggade på kornhalmen som låg på golvet.

Jo, det verkade troligt att jorden nära nog skulle sopas ren från arvingar, i varje fall skulle ingen inbilla sig att han säkert kunde veta vem som i slutändan skulle visa sig vara arvinge, den stora sjukdomen tog hand om alla ägodelar och egendomar och gav dem slutligen åt vem han ville, åt vem som helst. Hela släkter som länge hade levat och i led efter led fortplantat sig lugnt och måttfullt skulle utplånas, kanske skulle nya släkter uppstå men även det var osäkert, enstaka människor som parade sig på måfå kunde ju inte åstadkomma släkter av den gamla sorten, en släkt var något som alstrades genom klokhet och förutseende, ja det var ju väl känt för Avar, i en

släkt var alla utvalda, de var inte bara avlade och född-
da utan de var liksom handgjorda och skapade för
det ofattbart höga ändamål som släkten var.

Nu parade sig två av kaninerna, de höll till under
den stickan som ännu brann. Önde och Avar och
Ädla såg på dem och sade ingenting, de ville inte stö-
ra dem, det fanns något högtidligt och hjärtskakan-
de i detta som kaninerna gjorde.

Sedan fortsatte Önde.

Sannolikt visste Avar redan allt detta, han inbilla-
de sig inte att han röjde några hemligheter, men för
honom var det så att ögonen liksom hade öppnats
då han hörde på den där handelsmannen Olavus,
då han hörde själva orden den stora sjukdomen och
Guds Yttersta Vrede, då han fick beskrivet för sig allt
som han innerst inne redan visste. Och någon bot
fanns inte, man hade prövat allt från skorvars avfö-
ring till bävergäll, men ingenting hjälpte. I den ri-
kaste staden i världen, han kunde just nu inte min-
nas vad staden hette, nå det hade väl heller ingen be-
tydelse, där hade folket låtit skaffa botemedel från
hela världen, så snart de fick höra talas om ett tänk-
bart botemedel så skickade de vagnar och farkoster
för att hämta det, allt som möjligen skulle kunna
frälsa dem hade de köpt och roffat åt sig. Men nu var
staden utdöd, icke en levande människa fanns kvar,
allt som fanns var väldiga berg av botemedel.

Nu hade även den andra tjärstickan brunnit ut och Avar hade krupit ihop igen i mörkret inne vid väggen.

Det hade därför denne Olavus sagt att om man skulle kunna föra den stora sjukdomen bakom ljuset, då gällde det sannerligen att vara listig och att göra det oväntade, då dög det inte att bara låta dagarna gå och tro att boten och räddningen fanns i det välbekanta och vanliga, i det som hade hjälpt och varit tillfyllest sedan urminnes tider, i händernas enkla mödor och fötternas evigt upprepade steg och i gröten kväll och morgon. Nej, om det fanns en frälsning så fanns den i fruktansvärda krumsprång och onaturligheter, då var man tvungen att tänka ut någonting som ingen hade vågat tänka förr i Kadis.

Åtminstone var det vad Olavus handelsmannen hade förklarat.

Var fanns den där Olavus, var kunde man få träffa honom och prata några ord med honom, frågade så Avar.

Men det var ju inte längre möjligt, han var inte kvar i Kadis, han hade bara försett sig med det nödvändigaste, ett par paltar och några brödkakor, och sedan hade han dragit vidare, ingen utom Gud kunde veta var han nu fanns.

Och något mer än vad han här hade sagt hade Avar ändå aldrig kunnat få ut ur Olavus, Önde hade återgett allt, troligen hade han berättat även ett och annat som Olavus själv inte hade vetat om, sanningen, sade Önde, sanningen i en människas utsagor var alltid mera omfattande än människan själv kunde föreställa sig.

Och sedan var Önde tvungen att gå, han hade ju en ko att sköta och han skulle hålla Könik med virke och han var tvungen att göra upp eld hos några stackare som var rådlösa och vanmäktiga.

Könik hade sett att Önde gick till Avar, han hade till och med följt efter honom ett stycke för att se att han verkligen hukade sig ner och gick in och drog igen dörren efter sig. Sedan gick han till Öndes hus.

Det var han skyldig sig själv. Och Olavus. Och Önde. Det var inte mer än rätt. Om han kunnat tänka sig något som hade varit mer än rätt, då hade han kommit att gå dit när Önde var hemma och utkräva även det som var mer än rätt.

Han behövde inte något ljus. Han hade en liten järnkrok i handen, Yvar hade en gång smitt den åt honom för något ändamål som han hade glömt.

Då han kom in gick han förbi eldpallen och fram till kon, det steg upp en ljusblå rök ur askan, det var alveden, och med höften stötte han undan kon så att han kom åt den fläcken på jordgolvet där kon alltid stod. Sedan grävde han med järnkroken.

Hur kunde han veta att det var där han skulle leta.

Han kände Önde, sedan de var små och gömde fågelägg och snäckor för varandra kände han honom. Önde ville aldrig glömma något. Hans gömställen var sådana att han aldrig kunde glömma dem.

Önde hade brukat säga: En dag ska jag ha ett skrin med gyllene beslag. Det närmaste man kunde komma ett gyllene skrin var jorden under kon. Ibland hände det Önde att han överfölls av obegriplig och oresonlig skräck, då brukade han gömma sig själv under kons buk.

Därför behövde Könik inte gräva länge innan järnkroken fastnade i något som var mjukt men ändå fast, så hade det alltid varit med Önde, om ingen tvingade honom att gå på djupet grävde han hastigt och grunt. Könik lade undan järnkroken och använde fingrarna och snart kunde han lyfta upp skinnpungen, den var ännu tyngre än han hade väntat sig. Den var åtdragen med den där skinnremmen som Olavus hade haft om halsen, remmen var trädd genom hål som skurits i skinnet och fäst med en knut med dubbla öglor. Och Könik löste upp knuten, det gick fort och lätt, också Öndes knutar kände han väl.

Sedan stack han ner handen i påsen, han släppte fingrarna fria nere i rikedomen, det var som att sticka ner fingertopparna i blöt sand.

66

Men sedan lät han tummen och långfingret välja ut två stycken, icke alltför stora men icke heller alltför små, två släta och runda stycken.

Två silverstycken, det var vad Olavus var skyldig honom. Han visste säkert att om han hade frågat Olavus: Vad kan vara rätt pris för en präktig kista, så hade Olavus utan betänkande kommit att säga: Två lagom stora silverpenningar.

Och han stoppade in dem under tungan, det brukade han göra med sådant som var smått och ömtåligt, det där lilla brödstycket som prästen delade ut i mässan hade han även brukat lägga under tungan, det fick ligga där tills det upplöstes och försvann. Det var hans gömställe: under tungan.

Sedan knöt han samman skinnpungen igen och lade ner den i hålet i jorden och grävde över den, han hade gärna velat gräva ner den djupare och tryggare, men det kunde han ju för Öndes skull inte göra.

När han kom hem igen tände han eld, han spottade ut penningarna på snickarsätet.

Och då såg han att de inte var vita utan gulröda, de var inte silver utan ganska säkert guld, han hade aldrig förut sett guld. Av misstag och därför att det var så mörkt inne i Öndes hus hade Olavus tagit fel och betalat honom med guldstycken.

Och det var väl nu som allting egentligen började,

själva lögnen: Ett kortvarigt anfall av yrsel och förvirring, som inledningen till en feber eller ett insomnande, och han strök sig över pannan med blusärmen och gnuggade sig i ögonen med bägge tummarna.

Han stod länge och såg på guldstyckena, han glömde att han skulle gå och sköta om Eira, detta var mer än rätt, Olavus handelsmannen hade kommit att säga: Här ser du, jag tar allting på mig, jag bekostar begravningen av allt liv i Kadis, alla de döda som du har fordringar hos, dem frälsar jag nu från deras skuld.

Slutligen gick han ändå in och matade Eira och berättade för henne om allt som fortfarande trots allt levde och rörde sig i Kadis och lyfte efter henne något litet så att hon inte skulle få liggsåren, hon kändes verkligen som en fågel.

Men sedan stod han hela kvällen och arbetade med locket till Olavus kista, han snidade rankor och slingor och väldiga ormar som ringlade sig om varandra, ormar utan slut, han försökte åstadkomma något som skulle vara värt åtminstone en liten flisa guld, och till slut skar han ett sirligt kors och narade fast på locket.

Och innan han somnade för natten, det var numera ohyggligt mödosamt för honom att somna, så gömde han de bägge guldstyckena under Eira, i värmen under hennes vänstra skulderblad, han hade lindat in dem i nackskinnet av en kanin.

Sedan Önde gått var det länge tyst hos Avar, var gång Ädla höll på att somna där hon satt väcktes hon av att skrapan raspade mot skinnet i hennes knä, det knäppte i aspkolen på eldpallen.

Avar hade dragit ett fårskinn över ryggen, han lutade sig mot väggen, då och då lät det som om han snarkade men han sov inte, då ingen såg honom hade han för vana att låta hakan falla ner mot halsen.

Ädla brukade aldrig säga något, Avar ryckte till när han hörde hennes röst, den var en aning gäll och klagande.

Och vem ska taga hand om kaninerna, sade hon som om de redan pratade med varandra. Hon hade gjort liksom en koja, en bur av den döda moderns kjortel, där hade hon fyra kaniner.

Kaninerna, sade Avar, dem tar Gud hand om, de känner inte döden, de frälsar sig själva.

Om nätterna kommer de och ligger mot magen min, sade Ädla. Och jag ger dem asplöven.

Du ska inte bry dig om kaninerna, sade Avar. Det är en svår synd att tänka på kaninerna. Vi måste tänka endast på oss själva.

Vad är jag att tänka på, sade Ädla. Här sitter jag. Utom då jag mjölkar och stillar korna.

Men kaninerna, lade hon till, de är en sorts skapare, de har så mycket kärlek att de aldrig kan vara i ro.

Hon mindes vad Jaspar hade sagt då han kom med alla kaninernas urmoder, kaninkäringen som han kallade Maria.

Allt som finns, sade Avar, är till för människans skull. Jorden och himlen och solen. Och givetvis även kaninerna. Då vi tänker på oss själva, då kommer vår omtanke hela skapelsen till del.

Ädla var tyst ganska länge, sedan sade hon: För mig känns det som om det vore alldeles tvärt om.

Du hädar, sade Avar, du är uppstudsig mot Gud, om du inte vore mitt eget kött och blod skulle jag slå dig med svinkäppen.

Han hade en kvistig och knölig käpp som han brukade slå svinen med, de gick sällan dit han ville och han menade att det var bra för fläsket.

Men du är ju bara ett barn, sade han sedan. Du vet

nästan ingenting. Nej, det du vet, det ryms på en lill-fingernagel.

Och Ädla teg, hon visste ju verkligen ingenting, hon hade aldrig velat veta någonting särskilt, hon hade sett hur Avar pinades av allt han visste.

Och ändå blir du tvungen att veta både det ena och det andra, sade Avar.

Och Ädla sade ingenting, hon skrapade ett par tag på skinnet, hon visste inte hur man egentligen skrapar ett skinn, hon gjorde det ändå.

Hör du att jag talar till dig, sade Avar.

Jo. Jag hör.

Det finns saker som du ska veta om jag så måste bruka våld, sade Avar.

Jo, sade Ädla. Det vet jag.

Du ska veta, sade Avar, att under griskätten finns det fem silverskedar, på tre fots djup, just under mathon.

Jo, sade Ädla och det lät nästan som om hon redan visste det.

Och i fähuset, i hörnet där järngrytan står, där är det en ihålig stock, fjärde stocken nerifrån, och inne i det hålet är ett fårskinn och i fårskinnet är det sil-verstycken.

Jo.

Och under rönnen vid kornbastun är det en skinnpåse där jag har tie guldpenningar.

Under själva roten, frågade Ädla.

Jo. Först lade jag dit påsen och sedan planterade jag rönnen.

Och du ska veta, fortsatte han, att det finns en sådan påse även här under tröskelstocken.

Jo.

Och inne i klabben där du sitter är ett hål. Och där är bitar av genomskinliga ämnen, både röda och gröna.

Då steg Ädla upp och flyttade sig till pallen där Önde hade suttit.

Och under stenbordet i kapellet finns det fem guldslantar, jag gav dem åt prästen, han lovade oss lycka och välsignelse. Själva penningarna tillhör inte oss, men lyckan och välsignelsen.

Jo.

Och den där yxan som sitter i väggen och som ingen får använda, hon är inte järnet utan silvret, det har jag gömt genom att låta det vara uppenbart.

Så vart han tyst och lät hakan falla ner mot halsen och liksom snarkade till.

Är detta allt som jag måste veta, sade Ädla.

I hela Kadis finns ingen annan som vet så fasansfullt mycket, sade Avar.

Och han snarkade till än en gång. Och Ädla lade ner skinnet och skrapan på jordgolvet och lyfte upp en av kaninerna som for kring fötterna på henne.

72

Det var en liten hona, egentligen bara en unge, dräktig var hon.

Så sade Avar lågt och suckande, nästan till sig själv:

Nu har jag satt ifrån mig. Nu skulle jag kunna dö.

Sedan steg han upp och lade ett par trästycken på eldpallen och blåste liv i kolen, och då elden hade tagit sig sade han:

Om jag tänker på detta som Önde sade, då börjar jag skaka i hela kroppen.

Vad var det då som Önde sade, sade Ädla.

Men du hörde väl själv.

Önde, sade Ädla. Vem är så dåraktig att han bryr sig om vad Önde säger.

Han är den ärligaste människa jag känner, sade Avar. Önde skulle aldrig kunna säga ett osant ord.

De hade inte ätit något sedan middagsgröten. Men ingen av dem kom ihåg att bli hungrig, så var det ofta.

Sedan Avar tänkt en stund fortsatte han:

Om Önde säger att sjukdomen här i Kadis heter den stora sjukdomen, då är det så. Om han kallar den Guds Vedervärdiga Vrede, då heter den så. Och om han säger att i första hand alla arvingar ska sopas bort från jordens yta, då är det så.

Ädla strök kaninen.

Men inte tror jag att det betyder så mycket om

man dör, sade hon.

Då höjde han rösten, ja han knöt nävarna och skrek åt henne:

Om vi bägge dör, då blir ju silverskedarna och skinnpåsarna herrelösa, vanligt folk må väl dö bäst de vill men släkten vår får icke dö, guldet och silvret och tegarna och skinnbuntarna och lyckan och välsignelsen och järnämnena, de behöver någon som är i livet och äger dem, här i huset får aldrig fattas en arvinge.

Sedan lugnade han ner sig, han satte sig och stöttade upp hakan med knogarna och sade: Jag måste tänka ut det där krumsprånget som Önde talade om, vi måste göra något som sjukdomen inte har förutsett, någonting alldeles orimligt, något som stöter döden för pannan så att han förstummas och kommer till korta.

Då jag hör att du säger så, då börjar jag skaka i hela kroppen, sade Ädla.

Jag ser på kaninerna, sade Avar. De är som någon sorts skapare, de avlar oavbrutet och undgår döden.

Du ska inte bry dig om kaninerna, sade Ädla. Det är en svår synd att tänka på kaninerna.

De kan aldrig någonsin bli utan arvingar, sade Avar.

Nej, sade Ädla. Det som de har, det kommer de säkert att besitta till evig tid.

74

Jag ska göra en arvinge i dig, sade Avar, det är vidrigt och nödvändigt, det är vad jag ska göra, det kan sjukdomen icke ha förutsett. Jag ska avla en arvinge i dig.

Då blev Ädla så blek och vit att hennes ansikte började lysa i mörkret.

Men tänk då på dig själv, sade hon. Tänk på vad du måste göra vid dig själv.

Vad är jag att tänka på, sade Avar. Här sitter jag utom då jag bär veden eller slaktar ett kräk.

Sedan Tomas slaktaren hade dött var det Avar som slaktade i Kadis, han hade en träklubba med en vässad järndubb.

Allt som finns är till för människans skull, sade Ädla och hon sluddrade nästan för hennes läppar och tungan hade blivit stela och styva av fruktan. Då ska inte människan göra som djuren.

För mig, sade Avar, för mig känns det som om det vore alldeles tvärt om.

Du hädar, sade Ädla, du är uppstudsig mot Gud. Minns att jag är ditt eget kött och blod.

Om jag dör och om du dör, då ska den arvingen leva, sade Avar. Vi måste frälsa ägodelarna från glömska och herrelöshet.

Och jag är bara ett barn, sade Ädla, jag vet ingenting, det jag vet det ryms på en lillfingernagel.

Jag ska lära dig, sade Avar. Jag ska göra alldeles så

75

som då jag gjorde Egvard arvingen och då jag gjorde dig.

Jag har aldrig ägnat det en tanke, sade Ädla, hur människan fortplantar sig.

Jag ska undervisa dig, sade Avar. Jag ska inte bruka våld.

Det är jag som måste bruka våld, sade Ädla. Du ska tvinga mig att bruka våld mot mig själv.

Sedan reste han sig och gjorde sig redo för natten, och han lade sig i bädden men hon kom inte.

Då steg Avar upp och hämtade henne, han tog henne i håret och ledde henne till bädden. Och hon lade sig hos honom fast hon egentligen inte visste hur man gör när man lägger sig hos en man.

Sedan undervisade han henne, det var en outhärdlig plåga för honom att göra det, det var så vämjeligt att han väl förstod att gentemot detta skulle den stora sjukdomen stå sig slätt, och hon grät och förstod ingenting av hans undervisning om hur de skulle göra detta, och i samma stund som han undervisade henne steg han upp på henne och gjorde det.

Många låg således och dog i Kadis medan detta hände, de var yra av hetta, de flesta visste inte vad som skedde med dem, de hade glömt vad de brukade kallas, här blir de inte ens nämnda vid namn.

Evan, Tomas slaktaren, Signhild och Orov och Tjalve och många, många andra. Men själva Kadis bestod, det förändrades men var ändå helt och avslutat, det som fanns det fanns.

Och Könik skötte Eira som låg stilla, han matade henne och höll henne ren och varm så gott det nu gick, och han sade åt henne att nu dör nästan ingen längre.

Snart ska jag göra vagnar och slädar och bogträn och håpar och rävburar, sade han.

Och liksom för att bestyrka hans ord kom Avar till

honom och sade att han skulle ha en gunga snickrad, en gunga att hänga i en takbjälke, ett gungsäte för ett mycket litet barn, ja för ett barn som än inte var fött. Han gjorde det för att Könik skulle fråga honom vem som nu kunde tänkas föda småbarn.

Och Könik vart häpen.

Vem är det som nu ska föda småbarn, sade han.

Det är Ädla, sade Avar.

Och Könik kunde inte låta bli att fråga vem som orsakat detta.

Det var en handelsman som hette Olavus, sade Avar. Han var en dödligt orolig själ, han kom fort och orsakade detta.

Och var fanns han nu, frågade då Könik, denne Olavus handelsmannen. För icke alltför länge sedan hade han satt upp en särskild käpp på Olavus grav, en käpp där han hade skurit in som en skinnpåse. Det hade han inte hjärta att tala om för Avar.

Han gav sig iväg, sade Avar, han hade inte tålamodet att vänta ut barnet, det var väl inte heller att vänta, vem hade tålamod i dessa tider.

Så får du dig ändå en arvinge, sade Könik.

Jo, sade Avar och sträckte på sig, det är inte Guds mening att min stam ska sopas bort från jordens yta. Och vem som är far åt ett barn betyder ju också föga. Barnet är sig självt, om det får leva blir det sin egen människa. En far skapar inte barnet, han kallar bara fram det så att det kommer ut ur mörkret. En far är inte förmer än ett stämjärn eller en lyftkrok eller en tång.

Det sade han med hög röst, både till sig själv och till Könik.

Samtidigt lade han bägge händerna framför könet som för att skyla det fastän han hade både kjorteln och skinnförklädet, eller som om han plötsligt fått en förfärlig värk just där.

Och Könik begrep genast vad det var för barn som Avar och Ädla väntade.

Ändå är det märkvärdigt, sade han, hur vanligt det är att barnen påminner om fäderna. Som om man såg märkena efter stämjärnet eller tången. Eller lyftkroken.

Då var Avar tyst ett tag, han såg på virket och snickarsätet och verktygen och väggarna, men inte på Könik. Och han kom ihåg prästen. Därför sade han:

Prästen brukade säga att barnen får kroppen efter modern men ryggmärgen och själen efter fadern. Om det kan vara så.

Jo, sade Könik. Så är det.

Egentligen vet man ju ingenting, sade Avar och nu lät han ganska bedrövlig, han liksom huttrade.

Och Könik tänkte hastigt på Eira. Och på Önde och Olavus och kapellet och Ädla, ja på hela Kadis.

Nej, sade han, det finns ingenting som går att veta

alldeles säkert.

Något sådant skulle han aldrig ha kunnat säga om Kadis förr i tiden.

Sedan sade han att han skulle göra det där gungsätet, men det var ett och annat som han var tvungen att göra först, och det var kanske inte någon brinnande brådska. Och Avar sade att gungan skulle vara sådan att Ädla kunde spänna fast arvingen, om han skulle vara en orolig själ, han skulle inte kunna fara iväg och han skulle sitta tryggt, ja om han lämnades ensam av något skäl som inte gick att veta och som han helst inte ville prata om så skulle han kunna sitta där ända tills han kunde stiga ner och ta sitt arv i besittning. Sedan tog Könik fram två flådda kaniner, man kan inte äta hur mycket kaninkött som helst sade han, han skickade dem åt Ädla. Hon skulle äta så att hennes krafter inte sinade innan hon fött sitt barn, hon var ju själv endast ett barn. Och för en karl, sade han, blir det här köttet i längden märkvärdigt sött.

Och innan Avar gick berättade Könik för honom något som Önde hade talat om, bara en liten berättelse om den stora sjukdomen, en berättelse är bästa sättet att sluta ett samtal så att man med lätt sinne kan skiljas åt:

En karl hade sett och förstått att kräken förblev friska, korna och fåren och getterna och grisarna, de var på något sätt oåtkomliga, sjukdomen och döden brydde sig inte om dem. Så han tog en kohud och klädde sig i den, ett skinn med klövarna kvar och skallhuden och öronen, han drog det över sig och gjorde sig till ko och ställde sig i ett bås i fähuset. Där stod han sedan på alla fyra och var ett kräk, han åt höet och löven och drack ur vattenrännan och folket i hans hus dog en efter en, han tuggade sitt hö och lärde sig till och med att råma, det enda han inte förmådde var att giva mjölken. Sjukdomen och döden tyckte att han såg ut att vara en vanlig ko, han idisslade och var trygg och uppfylld och frälst av listighetens väldiga kraft. Men så var där ett svin som stod och skrubbade sig, det hade kätten intill hans bås, och svinet stack sönder ögat på en kvist, det blödde ohyggligt och svinet gnällde och gnydde kusligt och rusade vettskrämt omkring i kätten. Han som var en ko kunde inte undgå att se och höra det, han kände i sig själv hur det skulle vara att riva sönder ögat, han vart mer och mer förtvivlad och han pinades värre och värre av att höra svinet jämra sig och gråta, och till slut kunde han inte tygla sig mer, han råmade av medlidande och reste sig upp och stod upprätt så att kohuden föll av honom, han var tvungen att försöka trösta och hjälpa svinet. Och då såg ju sjukdomen att han var en människa, det mänskliga hos honom blev med ens uppenbart och obestridligt, innan kvällen fick han hettan i blodet och han levde bara över nästa dag.

Det här var under senvintern, Önde kunde gå på skaren och gillra snaror för fåglarna och hararna, någon gång fick han oförhappandes en kanin.

Mycket blev över i Kadis, folk lämnade jord och hus och ägodelar efter sig, till en början fanns alltid arvingar men med tiden blev även de allt mera lätt räknade, det som Önde sagt om arvingarna började besannas.

För dem som ändå levde var det upprörande att se hur det jordiska lämnades vind för våg.

Men alltid fanns det något skäl som gjorde att man egentligen borde vara arvinge.

Evans tegar nere vid älven var fel skiftade, sade Avar, de har alltid varit fel skiftade, i verkligheten har de jämt tillhört oss.

Borne som kallades mäster, egentligen var han en beskedlig karl, han menade att Yvars hus nu var hans. Om Yvars änka fått leva hade hon tagit honom, han hade en gång fått ligga hos henne.

På den tiden när det ännu behövdes var det Borne som högg huvudet av de dömda eller hängde upp dem, han hade ansvaret för det lilla huset som hette kistan, han hade tagit hand om de självdöda djuren

82

och han hade skött de stora råttfällorna, alla kände en dunkel och oviss fruktan för honom samtidigt som de på ett gåtfullt sätt höll av honom, han hade också pryglat dem som skulle pryglas och sedan vårdat dem efteråt. Han var stor och grov, ja han var den mest grovlagde i Kadis, han hade ljust hår som jämt hängde i lockar över kinderna och vad han än gjorde så log han. Men han hade ingen kvinna.

Nu hade han således ärvt Yvars hus. Ingen, inte ens han själv, kunde begripa vad han skulle ha det till.

Och förr hade Könik tagit virket på allmänningen, nu lät han de dödas skog fogas till allmänningen, på sätt och vis fick den bli hans. Särskilt om tallarna var kvistfria.

Önde blev också fort arvtagare. Efter Tomas slaktaren fick han knivarna och den klubban som Avar inte ville ha och två drickeskaggar och en låda klövar att koka limmet av. Tomas hade bara en efterlevande, en flicka som låg i vaggan, Önde tog henne hem till sig så att hon fick dö i värmen hos hans ko, det var hennes arv som således blev hans.

Men värst var ändå Avar. Inte bara Evans tegar föll på hans lott, därtill tillät han sig själv att ärva kapellet, han hade utfört handlingar som var minst lika hemlighetsfulla och förunderliga som prästens, när alla ni andra är döda, då kommer min släkt att behö-

83

va kapellet som ett förrådshus för arvegodset.

Men sedan fick Avar sjukdomen.

Han vaknade en morgon och var het och tog sig inte upp ur bädden, vid middagstid fick han de första bölderna på halsen, Ädla höll en brinnande sticka över honom och såg hur de slog upp som bubblor på jäsande öl. Och Avar förstod att han skulle dö.

Det gör mig ingenting, sade han. Nu då jag vet att det kommer att finnas någon efter mig.

Jag ska dräpa honom så snart han är född, sade Ädla.

Det kan du inte, sade Avar. Du kommer att ge honom bröstet. Du är inte annorlunda än andra människor.

Hans tunga hade svullnat, fastän han talade ännu långsammare än vanligt sluddrade han.

Ädla kände på brösten, de hade vuxit och ömmade.

En dotter ska inte föda barn åt sin far, sade hon. Du narrade mig, du narrade in det här barnet i mig.

Barn som barn, sade Avar. Huvudsaken är att människan blir avlad, det enda som räknas är själva livet, hur livet uppstår har ingen betydelse.

Men nu berättade Ädla för honom något som han inte visste, det var Önde som hade sagt det till henne, han hade kommit enkom för att få tala om det. Hon såg inte på honom och hon berättade med stela läppar och nästan utan att röra nederkäken:

I Ume var det en son som hade avlat ett barn i sin egen mor, han hade gjort det utan att hon märkte det för hon stod på knä vid vävbommen och flätade ett band som var så invecklat att hon var liksom i dvala, borta och bedövad. Men sedan begrep hon ju hur det var ställt, hon var änka sedan många år och levde ensam med sonen, vad de bägge i sin enfald hade åstadkommit. Hon frågade sonen och han bekände genast, han hade sannerligen inte vetat vad han gjorde, själva gärningen var så invecklad att han hade varit som i dvala. Själv hade hon väl inte något ansvar för det som skett, inte för egen del för hon hade ju varit såsom sovande, men hon hade givetvis ansvaret för vad hon genom sonen gjorde, i sonens skepnad.

Så hon gick till en av prästerna i Ume och yppade allt under tårar.

För prästen var detta ingenting nytt och obekant, ändå blev han så rörd att även han grät, han hade aldrig trott att han själv skulle få möta en företeelse som var så omtalad och tänkvärd och ödesdiger, och han välsignade kvinnan och tackade henne för att hon kommit just till honom. Han visste så ohyggligt väl vad som måste göras.

Sedan såg han till att det blev gjort.

De hämtade sonen och slog honom i järn. Däref-

ter skar de upp modern och tog ut barnet. Och präs-
ten förutsade vad de skulle finna, och det var just
vad de fann.

Barnet, om det nu verkligen var ett barn, hade ett
huvud som var lika stort som kroppen och ögonen
var en grodas, det hade långt hår på alla sina lem-
mar och nedom kinderna hade det gälar alldeles
som en fisk.

Och de styckade sonen och modern och brände
upp dem bit för bit på en väldig kase i Ume, det var
för deras frälsnings skull, och barnet kastade de i äl-
ven så att det fick simma hos de andra vattendjuren.

Det, eller något liknande, var det som Ädla berät-
tade för Avar.

Jo, sade Avar, det var sannerligen vedervärdigt. En
son med sin egen mor. Människornas liderlighet vet
ingen gräns.

Jo, sade Ädla, de gjorde säkert alldeles rätt i Ume.
I Ume finns ju också all jordens kunskap. De borde
bara ha straffat dem ännu hårdare.

Hur kunde de ha straffat dem ännu hårdare, frå-
gade Avar.

Det vet jag inte, sade Ädla. Jag vet ju ingenting. Det
jag vet, det ryms på en lillfingernagel.

Och varför berättar du det för mig, sade Avar. Och
just nu då jag håller på att dö.

Därför, sade Ädla, därför att det är alldeles detsamma som det du gjorde vid mig.

Då teg Avar en liten stund, som om han vilade sig. Sedan sade han:

Det är verkligen sant att du ingenting vet. Jag är ju inte vem som helst. Det var ju jag Avar som gjorde detta vid dig. Jag din egen far. Jag kan inte jämföras med några främmande människor i Ume.

Jo, du är som sagt far min, sade Ädla. Du kunde lika gärna ha gjort det med din egen mor.

Människosläktet avlar sig framåt, sade Avar. Att avla barn med sin mor, det är att avla bakåt.

Fäder och mödrar och döttrar och söner och systrar och bröder får inte ha lust till varandra, sade Ädla.

Jag gjorde det inte av lust utan av plåga, sade Avar.

Önde säger att utan lust kan barn inte avlas, sade Ädla, det är lusten som utlöser själva avlandet.

Vem är så dåraktig att han bryr sig om vad Önde säger, sade Avar.

Han är den ärligaste människa jag känner, sade Ädla. Önde skulle aldrig kunna säga ett osant ord.

Så teg de. Men om en stund sade Ädla:

Jag ska likväl dräpa arvingen genast han är född, ja om det står i min förmåga ska jag dräpa honom medan han föds, samtidigt som jag föder fram honom.

Om du gör det, sade Avar, då kommer Gud att sända djävulen för att straffa dig, han kommer att bränna upp dig bit för bit på en kase.

Men sedan ville han prata med Önde, Ädla måste hämta honom och det måste gå fort, han visste inte hur länge han kunde dra ut på det här döendet.

Så Ädla kallade dit Önde.

Och Avar förklarade för Önde, det var nu hans sista vilja, att han Önde skulle vara som en förmyndare för Ädla och även för arvingen, han skulle vara i Avars ställe. Med Ädla var det så att hon var i stort sett utan vett, det var nödvändigt att någon hela tiden höll efter henne och övervakade vad hon gjorde. Helst gjorde hon visserligen ingenting, men ibland hade han sett i ögonen på henne att hon satt och tänkte ut gärningar som hon skulle kunna utföra, och det hade fyllt honom med en oresonlig skräck.

Och Önde nickade och sade jo, vördnaden för döden gjorde honom tystlåten.

Jo, Ädla var i stort sett bara en tillfällig lösning av livet, i sig själv var hon betydelselös, hon skulle bara fylla tomrummet mellan honom Avar och arvingen. Det gällde endast att vaka över henne så att hon inte försökte utge sig för att vara något mera eller större än en livets utväg för stunden.

Medan Avar pratade med Önde fick Ädla se att en av kaninerna höll på att få ungar inne i det där redet som hon hade gjort av moderns kjortel. Och hon sat-

88

te sig hos kaninhonan.

Och Önde skulle inte tro att han förbarmade sig över Ädla förgäves. Nej, inne i sitt kapell, under det stora stenbordet, där hade Avar fem guldslantar. En av dem skulle Önde taga, det var när han hade fullgjort alla sina skyldigheter mot Ädla och arvingen, och han skulle låna en av Yvars tänger och nypa av penningen på mitten, och den ena halvan skulle han få behålla till evig tid, det halva guldmyntet skulle tillhöra honom och hans efterkommande.

Jag har inga efterkommande, sade Önde.

Om så skulle vara, sade Avar, att du aldrig får några efterkommande, då vill jag att du återställer den där guldbiten innan du dör.

Men Önde tyckte att denna Avars sista vilja var så storslagen men samtidigt svår att efterkomma att han genast beslöt sig för att aldrig bry sig om det där halva guldmyntet.

Och sedan måste Avar få växla några ord med Könik, Önde fick gå och hämta honom.

Ädla satt hos kaninhonan som födde, hon hjälpte henne, och när ungen var född, det var en enda, då tog hon den och höll den i händerna, hon gjorde ett bo inne i handflatorna.

Då Könik kom satte han sig på huk hos Avar som hela tiden blev sämre, mer och mer döende. Och Ädla reste sig och kom fram till dem och öppnade händerna så att de fick se kaninungen. Den hade två huvuden och tre bakben.

Vad är det där, sade Avar.

Det är kaninungen som just föddes, sade Ädla.

Han har två huvuden och tre bakben, sade Avar.

Jo, sade Ädla.

Det är inaveln, sade Könik.

Och nu sade Avar ingenting.

Alla kaninerna här i Kadis, fortsatte Könik, är ju av samma säd och stammar ur samma kved. Det är bröder och systrar och fäder och mödrar som parar sig med varandra.

Men Avar ville inte prata om kaninungen, han var sysselsatt med att dö.

Ta bort honom, sade han åt Ädla, han påminner mig om någonting ödesdigert och kusligt, men jag har glömt bort vad det är.

Nej, han ville prata med Könik om kistan.

Det var inte ens nödvändigt med en kista i vanlig mening, det var tillräckligt om han lade några grova bräder kringom honom och drog ihop dem med ett par tunnband, han ville ha allting så enkelt som möjligt, döden var för hans del en obetydlighet, Ädla skulle så småningom betala Könik för detta och för gungsätet åt arvingen. Han hade lagt undan en bunt kalvskinnen som i stort sett var felfria även om masken hade gnagt något litet i kanterna. Men han visste ju att Könik var en beskedlig karl och att han brukade vara belåten vad man än gav honom.

Och Könik skulle veta att han hade satt Önde att vara Ädlas förmyndare, därför ville han att Könik skulle hålla ett öga på Önde.

Jo det var givet, sade Könik, sedan länge försökte han så gott det gick att hålla ett öga på Önde.

Innan Avar nu dog ville Könik också ha sagt att han inte hade väntat detta, han hade inte trott att Avar skulle dö, visserligen var döden alltid orimlig men Avars död var den orimligaste.

Könik var tvungen att viska, han var verkligen så rörd att rösten skar sig för honom, det kändes som om han än en gång satt vid sin egen fars dödsbädd, som om det här var alla fäders dödsbädd i Kadis.

Och han försökte förklara för Avar. Han letade länge och osäkert bland de ord som han råkade minnas.

Det föreföll honom att Avar företrädde det som hade varit rätt och riktigt i Kadis, den ordning som alltid hade varit. I alla tider hade männen i Kadis vetat hur allting skulle vara, de hade vetat det av sig själva, de hade samlats och kommit överens om vad som var tillåtet och vad som var förbjudet och vad som var mitt och vad som var ditt och de hade tillsett att alla som gjort det olovliga i stället för det lovliga hade fått sina straff, allt som hade förvridits och gått galet och kullkastats hade de återställt till det orörda och nödvändiga. De hade haft den sanna kunskapen.

Jo, Avar hade som den siste gett kropp åt rätten och rättvisan.

Och om de själva felade, dömde de också sig själva.

Men nu var den tiden förbi, han var den ende fadern som var kvar och för Könik var det en stor fasa att tänka på den oreda och förvirring som var att vänta, ja han hade ofta den sista tiden tröstat sig med tanken att Avar ändå fanns, den ende återstående av de gråhåriga och vitskäggiga. Då alla som skulle dö till slut var döda, då skulle de ändå kunna fråga Avar om den ursprungliga ordningen, om återställandets och tillbörlighetens rättesnören.

Det, eller något liknande, var det som Könik viskande försökte säga åt Avar. Att med honom gick det rena och oförfalskade Kadis förlorat.

Men Avar hörde nog inte allt, han domnade bort, Könik kände på lukten från honom och värmen som han utstrålade att han verkligen höll på att dö, och han sade det till Ädla att nu dör han. Och Ädla kom krypande över till dem, hon hade fortfarande kaninungen i händerna. De hörde på hur han andades, stötvis och tungt, Könik tänkte: Jag sitter kvar här tills han inte andas mer, så länge han andades var Kadis sådant som det var tänkt att vara.

Så sade Ädla lugnt och nästan skarpt: Vad det nu kan vara som händer inne i honom.

För något tycktes hända, han darrade till så att luften omkring honom sattes i rörelse som av en vindstöt och det hördes liksom ett visslande eller kvidande inifrån bröstet på honom. Sedan suckade han till, djupt och stönande och avgörande, och både Ädla och Könik tänkte att nu dog han.

Men vad som verkligen hände var det motsatta: han började skaka huvudet så att halmen krasade och han fäktade med armarna som om det var något som han måste slå ifrån sig och han sparkade med benen som om han ville resa sig upp och ge sig iväg Gud vet vart.

Sedan stillnade han men var åter klart och tydligt levande.

Det är ohyggligt, sade han jämmerligt. Det är så fruktansvärt att jag är tvungen att vakna.

Vad är det som är så ohyggligt och fruktansvärt, sade Ädla.

En sådan fasa trodde jag aldrig att jag skulle behöva uppleva, sade Avar.

Vad är det som är så fasansfullt, sade Könik.

Detta som jag har gjort vid Ädla, sade Avar. Det jag har gjort mot mitt eget kött och blod. Det jag tog mig till i mitt skamlösa vanvett.

Sedan teg de ett tag alla tre.

Jo, sade Könik. Det är nog fasansfullt.

Jag har förbrutit mig mot det självklara, sade Avar. Du tyckte att du gjorde något självklart, sade Könik. Men det finns kanske något som är ännu mera självklart. Också för Könik var det här ohyggligt, glimtvis kändes det nästan som om även han hade utfört Avars gärning. Det var vad männen förr hade hållit reda på i Kadis: vad som verkligen var självklart.

Om jag dör, sade Avar, då kommer jag till helvetet för den här sakens skull.

Och Könik försökte se på Ädla, som om han tänkte sig att hon skulle ha kunnat säga: Nej, du ska slippa helvetet. Men hon sade ingenting.

Jo, sade Könik. Helvetet det är nog oundvikligt.

Om prästen hade levat. Fast det hade väl inte heller hjälpt.

Han kan ju vara dödfödd, sade så Ädla. Arvingen. Och han behöver alls inte vara som den här kaninen.

Det gör varken från eller till, sade Avar. Han må komma levande eller död ut ur dig och han må ha hur många huvuden som helst, jag är likvisst förtappad.

Sedan blev ingenting mer sagt, varken Ädla eller Könik visste vad de skulle säga, fortfarande var det

94

ju så att Avar skulle dö och de hade inga råd att ge honom och ingen olja att stryka på honom och inga tröstande eller läkande ord. Och Könik måste hem till Eira, hon visste inte var han var. Det var hennes enda syssla: att sakna Könik.

Då Könik gått kröp Ädla ihop på sin bädd, hon höll kaninungen mot kinden, han dog då om natten.

Också Avar slumrade in, han somnade fort och flämtande som de döende brukade göra. Men han dog inte, han vågade helt enkelt inte dö, skräcken frälste honom.

Den kvällen sade Könik till Eira: Snart har nog alla dött som ska dö, utom Avar är ingen sjuk mer i Kadis, då kan du bli frisk och hel igen.

Och han berättade för henne att suggan som Evan lämnat efter sig hade grisat, en enda kulting och den tänkte han att de skulle ta hand om, han och Eira, det var den största griskulting han i hela sitt liv hade sett, en galt.

Omkring alla handlingar finns ett
hölje av dvala.

När alla som skulle dö hade dött, då var de sju levande i Kadis. Det var Könik och Eira och Önde och Borne som kallades mäster och Bera, hon som aldrig hade fått några tänder. Hon bodde vid grindöppningen som benämndes porten, hon hade getter och ystade och hon hade brukat laga maten åt prästen. Även det ska ju drabba någon, att aldrig få några tänder. Hon var jämnårig med Köniks Eira, de hade haft en docka ihop då de var små, en docka som Eiras mor hade gjort av ett ekorrskinn och håret från korumpor och de hade lärt sig mjölka tillsammans. De tappade också mjölktänderna samtidigt och de sparade dem och gjorde ett halsband åt dockan. Men sedan fick Bera aldrig några nya tänder, tandköttet förblev slätt och blankt och hon fick liksom tugga sönder maten med fingrarna. Hon fick kvinnohullet och brösten och allting annat som de fullvuxna kvinnorna ska ha, men aldrig tänderna.

Tidigt hade hon tagit för vana att hålla handen för munnen, sedan hade det blivit så att hon höll bägge händerna för ansiktet om hon var med andra. Då hon fick brösten började kinderna rynka sig, nu då hon var nätt och jämnt vuxen var hon alldeles skrumpnad och infallen kring munnen och ögonen. Men fortfarande letade hon oavbrutet med tungan över tandköttet, ingenting är ju för evigt givet, av prästen hade hon fått en särskild smorning.

Dessutom levde Ädla.

Och Avar fortsatte att leva, han låg kvar i bädden men han var i livet, han var den ende som hade varit döende men överlevat.

Fast Könik tyckte att han fortfarande luktade besynnerligt.

Bölderna hade sjunkit ihop, det blev små svarta skorpor efter dem, och han var inte het längre och han låg stilla, han slängde inte med huvudet och fäktade inte med armarna och ögonen irrade inte hit och dit, mest låg han och såg på Ädla.

Han steg alltså inte upp, ibland kliade han skinnet där en skorpa lossnat, att dö var det självklara som han borde ha gjort.

Och Ädla grovnade. Hon hade med ens börjat äta

allt hon kom över, ännu värre än förr, inte bara magen svällde utan också kinderna och brösten och överarmarna, ja till och med läpparna. Då hon tog i Avar kände han att hennes fingrar hade blivit mjukare och han suckade plågat.

Men hon rörde sig lättare än förr, ju tyngre hon blev desto smidigare och flinkare blev hennes lemmar. Nej, det var som om hennes växande tyngd lades på honom, på hans sinnen och hans själ, den låg över honom och han förmådde inte resa sig upp.

De pratade aldrig om det som skedde den gången då han undervisade henne, inte om just det ögonblicket. Jo, en gång sade Ädla till Avar:

Jag förundrades så jag trodde att jag skulle dö.

Hon använde det ordet. Förundrades.

De sju således. Borne och Bera och Ädla och Avar och Könik och Eira och Önde.

Önde satt långa stunder hos Avar, sedan den kvällen då Avar egentligen skulle ha dött tyckte han sig nästan höra till Ädlas och Avars släkt, han talade om för Avar att nu dog ingen mer, att livet skulle fortsätta. Men Avar verkade inte bry sig, han viftade bara liknöjt med ena handen som om det där livet var en fluga som gick på honom.

Och det var Önde som berättade vad som hade

skett med Köniks Eira. Men även det saknade betydelse för Avar.

Jo, det var verkligen så att förlamningen hade hållit sin hand över Eira och bevarat henne, om hon hade varit på benen, om hon hade varit kvick och oberäknelig som hon i sig själv var, då hade hon säkert kommit att springa döden rätt i famnen.

Och Könik hade ju skött henne som om hon varit ett spädbarn, som om hon varit hans och hennes förstfödda. Han hade hanterat henne som om hon varit en skål som han snickrat så tunn att hon var genomskinlig, han hade varit sedesam mot henne som om hon varit hans dotter. Och det var inte otroligt att hon mitt i sin skräck och fasa hade njutit av själva förlamningen.

Så hade Könik börjat räkna och säga henne hur många dagar som gått utan att någon dött. Två dagar, fem dagar, tolv dagar, ett okänt antal dagar.

Till sist en kväll sade han: Nu minns jag inte ens längre när det var som jag tappade räkningen.

Då de sedan låg där och försökte somna, hon i sin bädd och han i sin, i mörkret, då sade hon: Jag fryser om fötterna.

Sedan hon lade sig ner hade hon inte sagt ett enda ord om någon enskild del av sin kropp, Könik skakade till av en besynnerlig hetta då han hörde henne nämna sina fötter. Och han kröp till henne på händerna och knäna och lyfte upp kanten på hennes fäll så att han kom åt fötterna, och han grep dem som om de varit brödstycken som han uthungrad hade funnit, bägge hennes fötter fick plats inne i hans händer, och han kramade dem som om de varit förfrusna och behövde tinas, han gjorde det lent och försiktigt, det var ju omöjligt att veta hur klena och spröda de blivit av att aldrig användas, han var rädd att benpiporna skulle brista. Men så kände han med ens hur hennes lilltår kröktes inne i handflatorna, det var som om hon ville retas med honom och kittla honom, och han kunde verkligen inte hålla tillbaka ett häftigt skratt, eller kanske inte ett skratt utan snarare någon sorts suck av munterhet. Sedan vaknade de andra tårna en efter en och satte i gång att böja sig och vifta och gäckas med honom.

När han så hade uppväckt fötterna fortsatte han till vristerna, nu var han säkrare och mera bestämd i händerna och snart började också fotlederna vrida sig, han kände hur senorna sträcktes och hälarna for upp och ner mot hans handlovar som om hon gick i tomma intet, som om hon utan att tänka på vad hon gjorde kom honom till mötes.

Då lät han nävarna gripa om smalbenen, de var tunna och späda, och han tryckte och klämde varsamt som då man mjölkar en kviga för första gången, och om en stund vart köttet fastare och fyllde ut skinnet på baksidan av benen och började dallra och spritta.

Nu nämnde hon sina knän, och än en gång fylldes han av den där snabba ofattbara hettan.

Och han lyfte upp fällen ännu ett stycke och tog knäna i händerna och rörde prövande och fromt på knäskålarna, de var som glättstenar inne i handflatorna på honom, och han trädde in händerna under hennes knän och hävde varligt, ja nästan ängsligt upp dem ett litet stycke, det knarrade till inne i lederna som då torra träbitar gnids mot varandra och han tänkte att nu har jag nog gått för långt, knäna är väl ändå för all framtid obrukbara, men då han sedan släppte taget kunde hon av egen kraft hålla dem uppdragna.

Slutligen nämnde hon sina lår, hon sade: Det sticker och känns som isen inne i låren.

Och det var mer än Könik kunde tåla, att höra henne nämna sina egna lår vid namn, han blev så het att han inte mer förmådde vara förståndig och aktsam, han lutade sig ner och kröp in under fällen hel och hållen och började värma och gnida henne med hela sin väldiga kropp. Väldig således i jämförelse med Eiras. Till en början gnällde hon och gnydde som en liten griskulting som fastnat under en läm i kätten men hon sade ingenting, och efter en stund började hon skälva i hela kroppen, kroppsdelarna vaknade en efter en utan att hon med ett enda ord kallade på dem, och det kunde man sannerligen förundras över: hur väl de mindes vad de skulle göra. Händerna tog tag om Köniks nacke och fingertopparna pillade honom bakom öronen, där var redan blött av svett, bröstkorgen spändes och bar honom, munnen öppnades och sög sig fast i hans underläpp. Så som han först uppväckt fötterna uppväckte han nu den hela och fullständiga Eira, ja man skulle nästan kunna säga att hon den stunden föddes på nytt.

Det, eller något som åtminstone avlägset påminde om det, berättade alltså Önde för Avar.

Och det var känt i hela Kadis, ja Önde använde uttrycket hela Kadis fastän det ju numera betydde så litet, det var allmänt känt att Eira därefter var i samma tillstånd som Ädla, det var troligt att hon vart befruktad i samma stund som, för att använda Köniks egna ord, han hade henne att födas på nytt. Och Könik hade bekymrat och ångerfullt pratat om detta: Om det var att förbryta sig mot det självklara att samtidigt, ja i samma andedrag, låta sig födas och befruktas. Om det kunde vara rätt.

Ibland tänker jag att ingenting finns som är självklart, sade Avar. Han hickade till då han sade det,

det var nog den fruktansvärdaste hädelse som någonsin uttalats i Kadis.

Önde ville trösta honom, för att det var som det var med Ädla och för att han låg där han låg men framförallt för att han hade sagt något som var så vederstyggligt.

Om du vore frisk, sade han, då skulle du inte plågas av sådana anfäktelser.

Jag är fullkomligt frisk, sade Avar, jag kan inte minnas att jag ens i ungdomen var så frisk.

Du kommer att bli ännu friskare, sade Önde, det är självklart, och då stiger du upp och tar hand om allt som är ditt. Hela Kadis kommer att vila i ditt beskärm.

Ingenting är mitt, sade Avar. Jag har aldrig rått om någonting, alltihop var djävulens bländverk, själva livet är ett djävulens bländverk.

Även det var ju en hädelse, det var en skymf mot Kadis och mot allting givet som inte ens Önde kunde slå ifrån sig, och han steg upp och gick därifrån. Det fanns en outhärdlig lukt av förruttnelse och sönderfall vid Avars bädd, ingen uthärdade i längden att sitta där.

Avar hade förbjudit Ädla att elda så att det vart höga lågor och att ha dörren öppen och att dra undan skinnen från gluggarna i väggen, han tålde inte ljuset.

Nu var det aftonsol och då Önde öppnade dörren lyste den rätt in på Avar. Och Önde stod där ett tag och tvingade Avar att ligga i ljuset, som om han ville ha sagt att det fanns åtskilligt som det inte var lönt att försöka utestänga och förneka, såsom nu ljuset, det fanns i alla fall, det var självklart.

Då de första blidvädren kom började det lukta sött och besynnerligt och vämjeligt i Kadis, till en början var det ingen som fäste sig vid det, lukten kom över dem så sakta och smygande att ingen fann den vara annat än rimlig och oundgänglig och given, så hade det väl jämt luktat om vårarna, i varje fall så länge som den där sjukdomen funnits, för detta var väl knappast den första våren under sjukdomens och kaninernas tidevarv. Och om man tänkte noga efter kunde man till och med bli munter och upprymd av den där dävna ångan och sötman som böljade av och an i luften mellan husen.

Men så gick Borne till Ume, han var borta i tre dagar, han skulle bara se om Ume ännu fanns, om världen bestod eller om den hade gått under. Och då han kom tillbaka berättade han att ingenting hade skett utanför Kadis, han var sådan att han aldrig hade något att berätta, någon annan borde ha gått åt Ume. Han hade bytt sig till en saltsäck mot två säckar

107

kaninskinn och en silverslant som Önde hade skickat med honom.

Sedan sade han: Men det är en ohygglig stank här i Kadis.

Och då kände de alla, alla utom Avar givetvis, att det luktade outhärdligt. De mindes också att stanken hade varit vedervärdig ända sedan värmen kom, att det stundtals hade varit svårt att andas, att de alla hade tappat matlusten och att de ofta hade trott att lukten kom inifrån dem själva, de hade tyckt sig vara så orena att de hade undvikit att komma i närheten av varandra.

Så satte de i gång att söka efter källan till all denna stank. De letade i de övergivna husen och i rökhusen och bodarna.

Och det är omöjligt att räkna upp allt som de fann.

Det var skinkor och lammlår som var gröna och föll sönder då man tog i dem och spannar där fisken hade jäst till ett gult skum och kalvskallar där maskarna gick ut och in i ögonhålorna och ostar som bara var skal omkring råttor som ätit ihjäl sig.

I Tomas slaktarens fähus låg det en självdöd ko.

En gris hade grävt sig in under Evans hus, en underjordisk gång, där hade han fastnat.

Under Avar fann Ädla en kanin, han hade legat ihjäl den.

108

Allt som de fann bar de bort och kastade i älven, de gick ner till tvärdjupet ytterst på Kalvudden och lät det falla ner i vattnet, och strömmen tog genast hand om alltihop, de stod kvar en stund och såg hur allt sköljdes bort och försvann, kalvhuvudena och kropparna och fårlåren och ostarna och fiskkaggarna, allt ruttnat och möglat och jäst och multnat och alla as, och från den dagen sade de aldrig annat än hon och henne om älven, förr hade älven hetat han, ingen visste varför det blev så. Än idag heter älven hon. Hon hjälpte dem att skaffa alla stinkande lämningar ur världen, hon lät allting fara.

Halmen på golven och i bäddarna bar de också bort, den var svart och dammade ohyggligt, inte bara halmen från de övergivna husen utan också den som de själva brukade ligga på. Torr och ofördärvad halm var det gott om i fähusladorna, även halmen under Avar bytte de ut. Borne lyfte upp honom och höll honom medan Ädla och Eira redde en ny bädd åt honom, Avar låtsades att han sov.

Två dagar tog det dem att göra Kadis rent, och de arbetade oavbrutet, det var två soliga dagar med en jämn vind utifrån kusten. Då och då stannade de upp och luktade på den nya luften som helt enkelt inte luktade någonting, de tyckte om den men samtidigt måste de inom sig medge att den saknade innebörd. Och Önde tog en grisskalle och satte på en stör framför kapellet. Alldeles utan lukt, sade han, kan vi väl ändå inte leva här i Kadis.

Efteråt var de alla mycket trötta men också besynnerligt upprymda, det var som om de för första gången på länge hade fått tillfredsställa en hemlig lust, de kände sig befriade från något som de inte säkert visste vad det var.

Och Könik gladde sig med de andra. Men han var ju som han var, nöjd och belåten kunde han aldrig bli, för honom fanns det ingen tillräcklig eller slutgiltig renhet. Så snart han var ensam lyfte han ut blusen så att han kunde sticka ner näsan och lukta på sig själv, han lyckades aldrig befria sig från misstanken att det var något som inte var som det skulle, att han innerst inne bar på ett käril där det återstod en bottenskyla förruttnelse.

Då om kvällen sade Avar till Ädla: I morgon ska jag stiga upp och bada.

Det var också det första och enda han sade då han hade vaknat om morgonen: Det är i dag jag ska stiga upp och bada.

Och Ädla förstod att han nu på ett eller annat vis skulle skaffa ur världen det som hållit honom nerpressad i bädden, vad det än var som hade varit för tungt för honom att bära så hade han bestämt sig för att hädanefter tåla det, han skulle resa sig upp och ta det på axlarna.

En sådan karl var han trots allt.

Så hon rullade in sån som de brukade bada i, det var Köniks far som hade bundit den åt Avars far, de brukade även skålla grisarna i den.

Det var nog så att den nya halmen under honom och den rena luften som han med ens andades hade gjort att han klart kände hurudan han själv var, han blev varse sin egen lukt och orenhet.

Och Ädla bar in vatten och fyllde grytan och började elda.

Sedan gick hon åt skogen och bröt enkvistar, bakom Avars fårhägn var marken täckt av enar.

Medan hon stod där och ryckte i enriset kom Önde, han hade en tomsäck och kniven, han skulle riva näver.

Så nu ska du göra dricka, sade han.

Nej, sade Ädla, inte dricka.

Då ska du hacka och blanda i halmen, sade Önde.

Nej, sade Ädla, det ska jag inte heller.

Men du tar enriset, sade Önde.

Jo, sade Ädla. Och myrporsen tänkte jag också ta om jag finner den.

Myrporsen kan jag ta åt dig vid älven, sade Önde.

Fast det är ju inte tvunget med porsen, sade Ädla.

Men jag begriper ingenting, sade Önde.

Då rätade hon upp sig och vände ansiktet mot honom, log gjorde hon väl inte, nej så långt gick hon inte, men det fanns någon sorts glädje i hennes ögon.

Han ska bada, sade hon.

Ska Avar bada, sade Önde.

Jo, sade Ädla.

Då gick Önde inte och rev näver, han vände om och gick till Könik och talade om att nu skulle Avar stiga upp och bada.

Och Könik gick in och sade det till Eira.

Och Eira fick bråttom att komma iväg till Bera så att hon också fick veta det.

Sedan följdes de åt, Bera och Eira, till Borne. Då visste hela Kadis att nu skulle Avar uppstå och göra sig ren.

Fyra hela kittlar fick Ädla värma innan sån var lagom full, hon hade bundit ihop enriset till en kvast som hon doppade i vattnet medan det värmdes, det luktade som skogen i värsta solhettan eller som drickan då den jäser, och Ädla tänkte: Bara han nu inte ångrar sig. Men hon kunde inte minnas att han någonsin, en enda gång hade ångrat sig.

Och just då hon hällde sista kitteln i sån kom Önde med myrporsen, Bera hade knutit ihop den med en videkvist som Borne hade tuggat mjuk åt henne. Och Önde lade porsen i Avars badvatten.

Det var första gången på länge som elden verkligen lyste upp huset, skinnen hängde fortfarande för gluggarna, Avar låg med ansiktet mot väggen. Men då Ädla kom och lutade sig över honom vände han sig om och såg på henne.

Det hade funnits en blind karl som hette Ivald. Där låg Avar och såg ut som Ivald hade brukat se ut i ögonen. Han tycktes inte märka ljuset.

Nu har du badvattnet, sade Ädla.

Allaredan, sade Avar. Är det allaredan varmt.

Det ångar ur sån, sade Ädla. Du ska vara aktsam.

Sedan den där gången då han undervisade henne hade hon aldrig sett hans kropp, hon ville inte se den. Förr hade de aldrig ägnat en tanke åt kropparna.

Så att då går jag, sade Ädla. Jag går till Eira. Eller till Bera. Så att du kan stiga upp och bada som du vill och vara i fred.

Då hon sade att hon skulle gå därifrån medan han badade, då skakade han till i axlarna och huvudet som om någon knuffat till honom hårt i bröstkorgen.

Och då du har badat så du är nöjd, sade Ädla, då kan du väl prova att komma ut i ljuset och känna efter hur det känns att stå på benen.

Sedan gick hon och Önde. Jag har lagt dit porsen åt dig, sade Önde, och Ädla höll högra handen under magen som ett stöd, än var hon inte så bukig att det stack i ögonen men om hon stod länge upprätt eller om hon lyfte och bar ett eller annat blev magen odrägligt tung, ibland kändes det nästan som om hon skulle falla framstupa.

Hon gick till Eira och hjälpte henne att stöpa en deg. Och Önde gick till Bera, han hade lovat att laga taket åt henne, i snösmältningen hade hon fått vatten i ostkaret. Och hon hade en get som var förstörd i juvret, bocken hade gjort en djup reva med hornet, någon borde slakta den åt henne.

Medan Avar badade var således alla sysselsatta med än det ena, än det andra. Kräken skulle stillas, både de levandes och de dödas kräk, middagsmaten skulle kokas, en av korna som Tomas lämnat efter sig höll på att kalva, Borne var hos henne, innan kvällen skulle även alla korna mjölkas, alla korna i Kadis, och grädde skulle karas av gårdagsmjölken och smör kärnas. Önde matade och skötte Evans sugga och griskultingen. Och Könik barkade och bilade furustockar, han hade själv huggit dem på allmänningen, han skulle bygga sig någonting, men inte ens Eira visste vad det var han skulle bygga. Medan de var sysselsatta med det som alltså måste göras, ja medan en del av dem sprang mellan sysslorna för att ingenting nödvändigt skulle förbli ogjort, så tänkte de alla inom sig oavbrutet på detta att nu badar Avar, det är i dag han stiger upp och badar.

Könik tänkte dessutom: Han vet hur allting ska vara, han är den ende som kan säga vad som är ofrånkomligt och givet, nu har vi ändå honom, han känner den ordning som har härskat sedan urminnes tider, han har kunskap om rätt och fel och vad som är tillbörligt, rågångar och lagar och straffdomar och försoningens måttstockar, han kan ge besked om reglerna och sedvänjorna och villfarelserna, nu sedan Avar till slut ändå har stigit upp och badat behöver vi inte mer frukta att Kadis ska gå under.

Så, eller något snarlikt, tänkte Könik.

Då och då gjorde sig någon av dem ett ärende förbi Avars hus för att se om han händelsevis redan var färdig och stod i dörröppningen eller satt på tröskelstenen.

Och då alla korna var mjölkade och allting annat nödvändigt och givet var utfört, då samlades de framför Avars hus. Ädla och Bera och Borne och Eira och Könik. Och Önde.

De stod där bara tysta och andäktiga, genom några av dem flög minnet av den tiden då prästen levde och de stod utanför kapellet i väntan på något märkvärdigt och högtidligt. Och alla tänkte att den här dagen kommer vi aldrig att glömma, dagen då Avar badade.

Han ska ju även reda ut håret, sade Borne. Och skära av sig det värsta skägget.

Han har aldrig lämnat något halvgjort, sade Könik.

Nej, sade Önde. Det lilla han gör, det gör han grundligt.

Om han kanske likväl skulle vilja ha hjälp med någonting, sade Eira.

Det Avar inte förmår att göra själv, sade Könik, det behöver inte bli gjort.

Om han inte är människa att bada på egen hand, sade Önde, då hade det varit bättre att han fått dö.

Jag fryser, sade Ädla.

Då gick Önde och hämtade ett täcke inifrån Evans hus och lade över axlarna på henne.

Och de kände allihop att det började bli kallt.

När solen var nere vid grantopparna på andra sidan älven, när hela Kadis var rött av det sista solljuset, då sade Borne:

Men nu måste han ändå ha badat färdigt.

Han har gått och lagt sig igen, sade Eira. Han vart trött då han hade badat och somnade.

Han är för frusen för att gå ut, sade Önde. Då man har legat länge, då blir man frusen som en nyfödd griskulting.

Om vi kanske skulle gå in och göra elden åt honom, sade Eira.

De stod tysta en god stund. Till slut sade Könik: Han kan ju köra ut oss om han vill. Om han bara viftar med lillfingret så går vi genast.

Så gick de då in till Avar, det var Ädla som öppnade dörren och stod och höll upp den åt dem. Och Önde tog sig fram till eldpallen och blåste liv i glöden och fick eld på en sticka så att de kunde se Avar.

Han hade kjorteln på sig, ja han hade till och med remskorna på fötterna, och han stod på knä vid sån, han stod alldeles så som de hade fått lära sig att stå då de bad till Gud, Eira och Könik brukade stå på det sättet en stund varje kväll, och han hade huvudet och halsen och även någon tum av axlarna nedsänkta i vattnet.

De såg ju genast hur det var ställt, och alla ropade till, häpet eller förskräckt eller hjärtskärande, alla utom Ädla.

Där stod han således och hade dränkt sig.

Könik stack ner handen i sån och kände på vattnet, det var iskallt. Och Borne tog Avar runt midjan och lyfte upp honom, nu var det väl hans sak att ta hand om honom, och han bar honom de få stegen till bädden och lade ner honom.

Det gick inte att räta ut honom, han låg som ett barn just då det har kommit ut ur moderlivet, och det gick inte att stänga ögonen på honom. Önde höll upp stickan och lyste på honom, han var vit som snö i ansiktet, det hade väl legat i vattnet snart en hel dag, en renare människa hade de aldrig sett.

Den enda som sade något på en lång stund var Ädla. Det är mitt fel, sade hon.

Han hade gripit tag om de där kvistarna av myrpors med bägge händerna, de som Önde kommit med och lagt i badvattnet, han höll dem mot bröstet så som kvinnorna gör med porsen då de gifter sig.

Det fanns inte någonting som de kunde göra. De

kunde ingenting göra för Avar och ingenting för sig själva.

Vad han liknade var något så osannolikt som ett skrynkligt och vithårigt spädbarn som stod brud.

Det var bara att lämna honom där han låg. Ädla fick sova hos Bera den natten.

Då de hade kommit utanför dörren sade Önde: Jag hade kommit att räta upp mig och draga åt mig andan. Vad karl han ändå var.

Jo, sade Borne. Han gjorde det sannerligen själv.

Det betydde: Han var självspilling, dem brukade de gräva ner ute i skogen, det var Borne som skulle göra det.

Helt och hållet själv gör man aldrig någonting, sade Könik, det finns ingenting som är så obetydligt att man kan göra det enbart av egen kraft.

Vad det betydde visste han inte ens själv.

Om kvällen låg Könik och Eira tätt samman som de brukade göra, hon låg med ryggen mot hans bröstkorg, liksom inkrupen i famnen ovanför hans uppdragna knän. Då och då skakade Könik till som om han hulkade och grät, och var gång han gjorde det klappade hon honom på roknulan, hon tänkte inte på att hon gjorde det. Och hon sade: Vad är det, Könik.

Men det var inte lätt att förstå vad han försökte säga.

Borne tänker gräva ner honom ute i skogen, tyckte hon sig höra att han sade, och jag vet inte om det är rätt, det är omöjligt att få veta om det är rätt. Det var en fruktansvärd sjukdom som tog livet av honom, därför skulle han begravas som alla andra. Och han gjorde det själv, därför skulle han grävas ner ute i skogen. Då jag såg Avar sådan som han nu var, då fylldes jag av skam, jag skämdes för det som han har gjort vid Ädla och jag skämdes för att vi i vår oskuld trodde att han badade och jag skämdes för att vi inte vet var vi ska gräva ner honom. Det som är skamligt är det som är ont, man känner igen ondskan på skammen. Förr behövde vi aldrig skämmas i Kadis, vi visste hur vi skulle undvika skammen för det fanns kunskap om vad som är förbjudet, vi hade smärtor men ingen skam. Då man skäms då varar sig själen och blir som en böld inne i kroppen, själen ska vara som en varm blåst inne i lemmarna. Man ska ha frid i sinnena, godheten det är när allting är som det ska vara, godheten är det som är givet och självklart. Om allting är som det ska vara, då är det gott och förnuftigt, förnuftet är Guds vilja och här i Kadis har förnuftet jämt gått i arv, fäderna har gett det åt sönerna. Allting var så enkelt, det var som skvaltkvarnen som går och går så länge vattnet strömmar, det fanns ett säkert sätt att leva, allting verkade vara sin egen orsak. Men nu är det omöjligt att veta vad som är rätt, Kadis har gått sönder.

Det är inte givet att han sade just så, men det hon förstod var något liknande detta, kanske var det först här och nu som allting egentligen började. Hon fortsatte att klappa honom på roknulan ända tills han somnade.

Det var alltså så att Evans sugga hade grisat, egentligen var hon ju numera ingens sugga, det var Önde som skötte henne. En hel dag och en hel natt tog det henne, eller noga räknat henne och Önde, att framföda denna enda kulting.

Suggan var fem fot lång och hette Pila, hon var svart på framkroppen och vit på bakkroppen och Önde trodde sig veta att hon hade haft fem kullar förr. Hon hade brukat följa Evan åt skogen och hjälpa honom att leta fågelbon, hon ställde sig under träden och gnydde, hon var hög på benen som en tacka och hade tolv spenar.

Önde hade länge väntat att hon skulle grisa, hon var så tung att hon mest bara stod och vaggade fram och tillbaka i stian och trots att benen var så höga hängde buken mot marken.

Önde råkade vara där den förmiddagen då hon lade sig ner för att grisa och han tänkte: Jag stannar och räddar hälften av dem, hälften kan hon få äta upp, här behövs ju numera inte så många grisar i Kadis.

Suggor brukar grisa med nästan ofattbar lätthet, de lägger sig bara ner och kultingarna kommer ut i en jämn ström, somliga suggor ser ut att ligga och tänka på något annat, de tycks inte fästa sig vid vad som händer med dem, många suggor sover medan de grisar.

Men med Pila var det nu annorlunda, hon låg och krängde och slängde sig hit och dit och hon gnällde och pep så ynkligt att Önde fick tårar i ögonen då han hörde henne.

Till slut tänkte han att han var tvungen att hjälpa henne. Och han satte den ena foten på hennes huvud för att hålla henne stilla, med den andra foten stampade han tungt på hennes buk, han satte i foten vid bakersta revbenen och tryckte till allt vad han förmådde.

Då skrek hon i dödsångest men öppnade sig samtidigt så att något började tränga ut ur henne, när Önde såg närmare efter fann han att det var en grisfot som var orimligt stor för att tillhöra en ofödd kulting, en svart grisfot.

Och han tänkte: Nu rör det sig, nu kommer hon

att klara av det här. Och han vände grishon upp och ner och satte sig på den.

Men sedan verkade det länge som om hon inte tänkte föda något mer än denna enda fot. Hon steg upp och stod en stund och vaggade ostadigt fram och tillbaka, därpå föll hon platt ner på vänstra sidan och somnade tvärt.

Så fortgick det hela aftonen och kvällen och natten, Önde bar fram halm och redde sig en bädd intill stian, då och då reste hon sig upp som om hon ville göra ett försök att fly bort från sitt ohyggliga födande, ibland gnällde hon som ett övergivet spädbarn, mest sov hon och den där grisfoten hängde tung och orörlig ut ur henne.

Men just före gryningen började hon skaka i hela kroppen, det såg ut som om någon fruktansvärd underjordisk kraft fick jordgolvet under henne att bäva och hennes fläsk dallrade som om det varit kokt och just upplyft ur kitteln. Och hon genomfors av kramper som fick henne att förtvivlat sparka med benen och slå med huvudet som om hon ville dunka och bulta sig själv till döds.

Ja, det var mer än Önde uthärdade att se.

Och han klev in till henne och satte sig på huk framför henne och försökte ta hennes plågade huvud i sitt knä, hela trynet var täckt av fradga, och han sade: Du stackars värnlösa och fördömda svin, du

124

osaliga syster.

Och då hon såg honom vart hon med ens alldeles lugn, men det var ett bedrägligt lugn, alla de krafter som hon nyss vänt mot sig själv i kramper och skakningar dem samlade hon nu och vände mot Önde, hon sprang upp och slängde sig över honom med ett ohyggligt vrål, hon trodde att det var han som vållade henne detta vidriga lidande, denna orätt, hon högg mot hans strupe och ansikte och hon slog med frambenen mot hans armar, hon var som i dvala av raseri och ville dräpa honom. Önde var emellertid beredd på allt, det var han alltid, han tog spjärn för att springa upp och möta henne. Men det var halt i stian av hennes spillning och den söndertrampade halmen, hans fötter gled iväg ifrån honom och han föll platt på ryggen, och suggan nådde aldrig hans hals och ansikte med tänderna, nej hon flög över honom och hamnade med buken på hans bröstkorg. Önde kände hur den där grisfoten som hon lyckats föda slängde och slog mot hans underben. Och han vräkte henne ifrån sig och kom fort upp och kastade sig över henne, upp på hennes rygg, och trädde in armarna under henne och knäppte ihop fingrarna så att greppet inte skulle kunna lossna, ett par av hennes spenar kom i kläm mellan knogarna och hennes rytande blev ett tunt och utdraget skrik, hon vred sig och krängde och stampade med fötterna för att komma loss, men han släppte inte taget och han var ju farligt stark, han bände och bröt och ansatte henne för att pressa ner henne och kuva henne, han tog i så att ett vanligt svin hade kommit att få ge inälvorna ifrån sig. Så fortsatte de att brottas ända tills det var fullt dagsljus.

Men då var suggan besegrad, hon föll tungt ner på sidan och slöt ögonen som om hon var död, hon flämtade ohyggligt men hon varken grymtade eller gnydde, hon var alldeles tyst, och då Önde vred huvudet bakåt för att se om något hade hänt, då varsnade han att ännu en grisfot hade trängt fram och även den var svart.

Också Önde var en aning slak och andfådd, men han insåg att tiden nu var kommen då han verkligen kunde hjälpa henne, och han ställde sig på knä bakom henne och tog en fot i var näve, de var slemmiga och hala och han var tvungen att torka handflatorna på kjorteln gång på gång, och han slet och drog och ryckte, han gjorde det varligt och utan brådska för att inte onödigt pina henne, och bit för bit kom kultingen ut, Önde såg genast att han hade legat felvänd i hennes kved, bakbenen och skinkorna och buken, det var en galt, och bröstkorgen och halsen och sist skallen och trynet, och han var till hälften svart, till hälften vit.

Suggan suckade visserligen djupt och långt av befrielse, men hon blödde ohyggligt, galtkultingen hade sprängt sönder henne, blodet rann som om hon hade varit slaktad i stället för förlossad. Och Önde sprang in i Evans hus och hämtade kläder som låg där och som ju ingen behövde mer och rev sönder dem till långa remsor, med dem förband han suggan, han lade sig ner bakom henne och lindade och snörde och knöt så gott han kunde och hon låg alldeles stilla och lät honom göra det, ja hon drog till och med upp benen mot buken för att göra det lättare för honom att vira remsorna över hennes rygg.

Sedan lyfte han kultingen till henne och han började genast dia. Då gick Önde äntligen hem för att sova. Den här grisningen, det insåg till och med han, den skulle aldrig ha kunnat inträffa i Kadis som det en gång var, den hade ett drag av bedrägligt påfund och galen lögn som alltför grovt stred mot den vedertagna ordningen. De gamla karlarna hade kommit att slakta suggan redan när galtkultingens första, orimliga fot trängde ut ur henne. Han gladdes åt att han fått förlossa henne.

Han sov återstoden av den dagen och hela natten, så grundligt hade suggan förbrukat hans krafter.

Och han fortsatte att sköta Pila och kultingen, han bytte hennes lindor och såg till att det brustna köttet och svålen läktes och han bar henne maten och han kelade med kultingen och pysslade om honom och vaktade honom, han var ohyggligt glupsk, om inte suggan och Önde hade fostrat honom och dängt honom på trynet hade han kommit att sluka också spenarna.

Men sedan var det alltså så att Könik och Eira skulle ha honom. De hade inte haft svin förr, Könik hade jämt bytt till sig fläsk av Evan, nu timrade han ett litet svinhus bakom snickarboden och han gjorde en öppning i väggen och en stia även på utsidan så att galten själv skulle få välja mellan inomhus och utomhus.

Och Önde var där och underrättade Könik om hur en gris vill ha det omkring sig och han pratade med Eira om maten, de fick inte inbilla sig att det var någon sorts tidsfördriv att sköta svinet. För Önde var det inte alldeles enkelt att lämna honom ifrån sig, ibland kändes det nästan som om galten var hans eget kött och blod.

Då Könik kom hem med kultingen bar han honom inte framför sig som man brukar göra med smågrisar, han hade honom i skakelkärran som han sköt framför sig, han var redan för tung för att bli buren. Och Eira hade inte sett honom förr.

Är detta lillgalten, sade hon.

Det är galten, sade Könik.

Han är anskrämlig, sade Eira. Han ser inte ut som en gris.

Då han var nyfödd, sade Könik, då såg han nog mest ut som en hund. Och han skällde. Men han blir mer och mer lik en gris för var dag som går.

Ett svin ska se ut som ett svin och inte som någonting annat, sade Eira.

Könik satte ner skaklarna och rätade på sig, galten satt verkligen som en hund, detta var första gången han var utanför stian och han svängde vetgirigt hit och dit med skallen. Hans ögon var förunderligt stora och svarta.

Vi vet så ohyggligt litet, sade Könik. Vi inbillar oss att vi begriper allting. Vi tror att vi med ögonen kan skilja mellan rätt och fel.

Jo, sade Eira. Det är sant.

I verkligheten, sade Könik, vet vi ingenting om hur världen är beskaffad.

Så satte de in honom i svinhuset, Eira hade surmjölk och hon hade kokat rovor och ärtskidor åt honom och de gav honom en famn av kornhalmen så att han kunde reda sig en bädd.

Och Könik fick ta bort översta spjälan i kätten så att Eira kunde komma åt att klia honom och prata med honom. Hon vande sig vid att han såg ut som han gjorde, han blev ju också alltmera svin och alltmindre hund, han slutade skälla, nu gnölade han bara och brummade som en vanlig gris, han åt allt hon gav honom och mycket snart var han lika stor som Eira då han ställde sig på bakbenen och lade framfötterna på spjälorna i kätten.

Och då Könik första gången lätt prövande nämnde en avlägsen tidpunkt då det möjligen skulle kunna vara lägligt att slakta galten, så började Eira genast prata om något annat, om laxen som Önde hade kommit bärande med och att hon skulle gå och se hur Ädla hade det och att Borne hade slaktat den där geten som bocken hade fördärvat för Bera, Borne skulle försöka sömma en ryggsäck åt Bera av skinnet.

Har det blivit nämnt att galten hade ett namn. Det var Önde som uppfann ett namn åt honom, han hette Blasius.

Det skiftades således arv i Kadis, det skedde nästan omärkligt, utan att någon bestämde att nu skulle det göras, utan att arvingarna var förvissade om sin rätt, utan ordning och regler, det fanns inga regler. Det var ett trevande och osäkert och tvivelaktigt arvskifte, byggt på gissningar och osäkra minnen och lösa påståenden, det var omöjligt att genomföra men även omöjligt att undvika.

Den ende som gav sken av att vara viss om att ägogränser och rågångar och bomärken ännu hade en mening, det var Önde. Att det ännu var möjligt att äga det ena eller det andra.

Önde var två djupa skåror med en grund skåra tvärsöver. Borne var en enkel fyrkant. Könik var en droppe eller om tecknet sågs från andra hållet en ljuslåga, han var den ende som kunde skära krokiga linjer med kniven.

För kvinnorna fanns inga tecken.

Önde högg in sina skåror i Tomas hus och Jaltes och Tvares och Unos hus. Någon måste ju förbarma sig över husen, sade han. De kan inte lämnas åt sitt öde, herrelösa. Och när Könik frågade varför det var just hans märke som skulle huggas in i väggarna hade han alltid ett svar, de hade varit släktingar på långt håll, det hade blivit sagt på dödsbädden, han hade fordringar hos de döda.

Innan sjukdomen kom ägde Önde ingenting utom huset och kon. Och den där skäggkammen som kanske var silver.

Borne samlade föremål och bar hem till sig. Men han gjorde det planlöst och utan beräkning, som i tankspriddhet, han såg något ligga på marken eller stå lutat mot ett träd och tog det i handen och det följde med. Så växte det upp en väldig hög av räfsor och spadar och yxor och liar och ljuster och kittlar och slädar och allsköns arvegods utanför hans hus. Även Ädla tog vara på saker och ting, mest var det hudar och tyg och garn som ännu ingen hunnit göra något av, och ospunnen ull.

Men Bera tog ingenting. Den som har getter, getter som mjölkar och getabockar som äter vid ens bord och killingar som sitter i ens knä och sover i ens bädd, den behöver ingenting mera.

Var började arvskiftet och var slutade det.

En afton kom Önde till Könik med Yvars alla verktyg, han drog dem på Jaltes vagn som nu var hans. Tängerna och släggorna och filarna och städen och allt som Yvar haft i smedjan.

Det är väl lika så gott, sade Önde.

Jag vet inte, sade Könik.

Något kan du väl ändå ha det till, sade Önde.

Egentligen är det ju Yvars, sade Könik.

Och sedan höll ångesten honom vaken hela natten.

Så kom Önde då och då dragande med ett eller annat som han tyckte rätteligen skulle vara Köniks, navare och medämnen och såar och spett och yxor, ja vad som helst, han ville att Könik skulle vara delaktig i arvskiftet. Och var gång miste Könik nattsömnen.

Det hände att Önde grävde upp de döda. Han kunde plötsligt erinra sig att en ring hade blivit kvar på ett finger i brådskan eller en kedja om en hals eller ett spänne som höll samman en blus. Han kunde få gräva på många ställen innan han fann vad han sökte, han begrep inte alltid märkena som Könik satt ut och han ville inte fråga. Han trodde att ingen visste vad han gjorde. Eller han låtsades tro att ingen visste det. De låtsades att de ingenting visste.

133

Om det hade funnits någon efterlämnad kvinna att ärva, då skulle Borne ha tagit henne i handen och hon hade fått följa med.

Sent en kväll då Könik kom förbi Tvares fähus såg han att dörren inte var reglad från utsidan. Så han gick dit och kikade in. Där var Borne hos Tvares kviga, han hade tillskiftat sig henne. Han höll upp hennes rumpa med högra handen och gjorde med henne det han skulle ha gjort med en kvinna om han haft någon. För att komma åt att på detta sätt tillägna sig kvigan hade han stigit upp på mjölkpallen, det var en högbent och präktig kviga. Mjölkpallen hade Könik gjort åt Tvare för flera år sedan. Nästa dag gick Könik dit och tog pallen, han tyckte sig ha större rätt till den än Borne, han tålde inte att se en pall som han gjort med sina egna händer förnedras och skändas.

En dag kom Önde med en halskedja till Eira. Den var silver och han trädde den över hennes huvud. Jag vill att du ska ha den, sade han, jag har länge tänkt att den kedjan hon är som gjord åt dig.

Då Könik kom hem sade han: Var har du kedjan ifrån.

Jag har fått den av Önde.

Du har fått den av Jaltes Åsa, sade Könik, jag känner så väl igen den, Åsa hade den om halsen då jag lade henne i kistan.

Då slet Eira av sig kedjan och gick ut och spydde.

Men sedan, då hon fullständigt tömt sig, då gick hon ner till älven och sköljde kedjan ren, hon höll den i det strömmande vattnet tills handen domnat och var som död. Och därefter hade hon den om halsen beständigt.

Men Könik, han brände upp mjölkpallen.

Ja, var började arvskiftet och var slutade det. Och Könik tycktes vara den ende som på allvar eller överhuvudtaget märkte att det ägde rum.

Förr i tiden, innan den här berättelsen började, när de nyss blivit man och hustru, hade Könik brukat bära Eira på axlarna, hon hade ridit på hans skuldror som ett litet barn och tryckt sitt sköte mot hans nacke. Nu hade han fullständigt glömt att de någonsin kunnat röra sig så barnsligt och tillitsfullt på stigarna inne i Kadis.

Han hade börjat tugga strimlor av sälgbarken, då kände han sig lugnare någon stund. Men han fick frätsår uppe i gommen och på läpparna. Och den där friska saften ur sälgbarken fyllde munnen men inte mera, den trängde inte ner i sinnena där oron och förvirringen oavlåtligt tillväxte.

Då hjälpte det bättre att bila och timra och bygga. Men när han satte sig för att vila en stund, när tröttheten började värka i axlarna brukade han göra så och låta ögonen se tillbaka på vad händerna nyss hade gjort, då kom på nytt denna frätande ängslan över honom och ögonen kunde inte riktigt glädja sig.

Han byggde något som ingen byggt före honom i Kadis: ett rum. Ett rum som skulle tillhöra huset, han timrade fast det i de gamla knutarna och han lade takstolarna så att det gamla taket skulle fortsätta i det nya, rummet skulle vara nästan lika stort som huset och han skulle timra bänkar längs väggarna, bänkar som var så breda att man kunde sova på dem om man ville. Kanske skulle det någon gång komma en främling som nödvändigt ville sova i hans hus. I taket skulle han göra ett öga och han skulle mura en eldpall så att de kunde värma rummet vintertid, och han och Eira talade redan om huset och rummet, vad de i framtiden skulle kunna göra i rummet som de nu gjorde i huset.

Könik tänkte på barnet som Eira bar, barnet skulle ha både ett hus och ett rum.

Och om kvällarna satt han och skar en djävul, han hade sparat en rotstock som han nätt och jämnt famnade om och som var fem fot hög åt denna djävul. Det var prästen som hade sagt det när Könik var färdig med det där stora korset i kapellet: Helgon skulle vi även behöva, en lång rad av helgon, och en djävul som jag kan peka på när jag undervisar folket.

Helgonen visste Könik alltför litet om, han kände bara några till namnet, men djävulen hade prästen beskrivit för honom, ja han hade till och med ritat av honom på en näverbit. Helst hade han velat ha honom målad på väggen, men här fanns ju ingen som kunde måla den enklaste lilla slinga eller bild eller som visste hur färgerna skulle rivas och blandas.

Visserligen var prästen nu död, men Könik ville ändå hoppas att någon gång en ny präst skulle komma, han försökte se fram emot den ovissa dag då djävulen trots allt kunde bli till glädje.

Han hade en hög och spetsig mössa, hår på kroppen och ett oredigt skägg och en lång svans med tofs, han hade små horn på knäna och armbågarna och hans tunga stack ut ur munnen och var kluven i spetsen. Hans fötter var getklövar och händerna skulle vara raggiga och likna lokattens klor.

Och medan Könik satt och skar honom och vred honom i händerna och slipade honom och strök över honom med fingertopparna, medan han alltså strävade att göra honom så fullkomlig som det stod i hans makt, fylldes han av tillgivenhet för honom, han kunde inte hjälpa att han började älska djävulen.

138

Svårast var ansiktet, han hade förstått att det skulle lysa av både grymhet och listighet, att munnen och näsborrarna skulle vara förfärande stora och att ögonen skulle spärras upp som ett lystet rovdjurs.

Men hur han än högg och skar och raspade, hur han än flyttade veck och rynkor och hur han än förvred anletsdragen blev ansiktet inte som det borde, under ytan, under årsringarna och tjärstrimmorna, behöll det i grunden ett drag av godhet. Ja, vad som var ännu värre, djävulens ansikte liknade Öndes.

Och Eira sade: Varför ser han ut som Önde.

Inte ser han väl ut som Önde, sade Könik.

Kindkotorna och nederkäken och pannan, sade Eira, alltihop är Önde. Till och med den där struten på huvudet.

Alla människor har ju nederkäken och kindkotorna och pannan, sade Könik.

Så att djävulen är en människa, sade Eira. Du vet det säkert att han är en karl.

Han ska ju kunna smyga sig över oss, sade Könik. Därför måste han se ut som en människa. Han ska bedraga oss. Vi ska kunna möta honom i vänskap. Och kvinnorna ska kunna älska honom.

Jag skulle aldrig kunna älska den där träbocken, sade Eira.

Inte du, sade Könik. Du kan bara älska mig. Men vanliga kvinnor.

Det förstås, sade Eira.

Och om man ser efter, sade Könik, så har han svansen och getklövarna och klorna som en katt och hornen både här och där.

Jo, sade Eira. Men då kan det ju vara för sent.

Så stod de tysta en stund och beundrade varelsen som Könik hade gjort.

Jag vet ingen annan människa som skulle kunna skära en sådan här djävul, sade Könik.

Och onekligen var det så. Det fanns en mild och nästan förförisk men ändå skrämmande skönhet hos Köniks djävul, ådrorna i tallvirket skapade skuggor och ljusblänk i hans skinn, håret vid tinningarna lockade sig, under kjorteln skymtade ytterlinjerna av hans manlighet och ögonen var två läkta kvistar så att de till och med hade pupillerna.

Men jag begriper ändå inte varför han ska se ut som Önde, sade Eira.

Och nu var ju Könik tvungen att säga som det var.

Jag rår inte för det, sade han. Jag har sannerligen försökt att raspa bort allting som skulle kunna påminna om Önde. Men det är alldeles förgjort.

Det är något djävulstyg, sade Eira.

Jo, sade Könik.

Han lät med ens så bedrövlig att Eira var tvungen att sträcka upp handen och stryka med pekfingret över hans underläpp, de stod på golvet framför djävulen, när Könik var på väg att bli förtvivlad var det alltid som om luften inte ville räcka till för hans röst, stämman blev gnällande som en hundvalps.

Och Eira önskade att hon bättre skulle kunnat förstå vad han sade.

Verktygen löd honom inte längre, stämjärnen och knivarna höll inte mera reda på vad som var rätt och fel, de gjorde skåror och linjer och släta ytor som han alls inte hade tänkt sig. Eller också var det handen som hade mistat styrseln och urskillningen, han kunde ibland bli stående och bara betrakta handen som for hit och dit och hamrade och ristade och skar som om den varit ett eget levande väsen, alldeles utan ödmjukhet och sans, så gjorde aldrig handen på den tiden då allting var som det skulle vara i Kadis.

Och virket hade blivit oberäkneligt och vrångt, han kunde aldrig mer förtrösta på virket, det vred sig och bågnade och krympte och svällde hur som helst och utan orsak, det fogade sig överhuvudtaget inte efter hans vilja, ena dagen kunde ett stycke vara fullkomligt kvistfritt och nästa dag vara översållat och genomborrat av stenhårda, svarta kvistar, medan han bytte kniven mot stämjärnet eller bara blinkade kunde det härligaste ämne, den slätaste träbit, förvandlas till den omöjligaste tvärved. Så var det aldrig förr med virket i Kadis.

På samma sätt förhöll det sig med ljuset, det bedrog honom ideligen, dagsljuset men även ljuset från tjärstickan. Det gjorde skuggor där inga skuggor skulle finnas och det skimrade och prålade där ingenting annat än dunkel och grovhet skulle vara. Och ibland låg det bara som ett grått damm eller som smuts över allt som han med sådan möda format. Sådant var aldrig det gamla ljuset i Kadis.

För att nu icke tala om hans egna ögon. De såg inte alls det han ville se, de framvisade förvrängda och falska bilder för honom, ondska där de rätteligen skulle se godhet och glädje där de skulle se sorg, ja de hade till och med sett ett helgon i den här djävulen, ögonen missförstod numera det mesta som kom i deras väg. Förr begrep ögonen allt i Kadis.

Och nog var det på samma sätt med alla som nu råkat överleva. De hade sett den här varelsen som han hade gjort och Bera hade sagt att så skulle Avar ha sett ut om han hade klätt sig i ett bockskinn och Borne hade menat att han påminde om en stackare som han hade varit tvungen att hänga för flera år sedan, och Ädla hade bara fällt några ord om att det väl kunde vara vilken karl som helst. Och Önde hade sagt att jo, sådana kan vi nog alla vara, inget levande väsen kan undgå att känna igen sig själv.

Men förr i världen, då allting var som det skulle vara, då hade varenda människa i Kadis genast kom-

142

mit att säga: Jo, det är ju givet och självklart, det är djävulen.

Det var väl inte ord för ord vad Könik sade, men det var vad Eira efteråt tyckte sig minnas att han sagt. Hon tog hans hand och tryckte och gned den mot sin panna, som för att värma den där handen han pratat om eller för att prägla in i sitt huvud det som han velat förklara för henne.

Det är verkligen ohyggligt, du måste göra någonting åt det, sade hon.

Jo. Någonting måste jag göra åt det.

Det kan ju inte få fortgå i evighet, sade Eira.

Om han hade frågat henne vad det var som inte kunde få fortgå i evighet, då hade hon inte haft något svar.

Jag ska gå åt Ume, sade Könik. Kanske att det finns någon sorts hjälp. I Ume finns saltet och smidesjärnet och kunskaperna. Så man kan ju aldrig veta.

Jo, sade hon, gör det, gå åt Ume.

Hon kunde icke för sitt liv begripa varför han skulle åt Ume.

Och jag ser kaniner överallt, sade Könik.

Jo, sade hon. Det är kaniner överallt.

Om jag endast visste, sade han, vad det är jag ska fråga efter eller leta.

Han var glad att han äntligen hade förmått sig att säga henne detta om Ume, att han skulle lämna hen-

ne ensam någon dag, han var med ens varm av villrå-
dig beslutsamhet.

Men Önde är ändå icke någon djävul, sade hon.

Nej, sade Könik, Önde är godheten själv, om jag
skulle försöka mig på att skära de där helgonen, då
skulle de allihop se ut som Önde, jag känner ingen
bättre människa än han.

Sedan var han tyst en stund. Och slutligen lade
han till: Fast det hindrar ju icke att han även är en
djävul.

Så han gick till Ume.

Och han frågade dem han mötte om än det ena än
det andra, huruvida den där sjukdomen som hette
den stora sjukdomen var botad och förbi även här,
om de ännu eller möjligen på nytt visste vad som var
självklart och givet, om prästerna fortfarande levde
i Ume, om någon var underkunnig om vad man skul-
le göra med barn som fäder avlat i sina döttrar och
hur man skulle förfara med ägodelar som ingen
ägde, det kunde vara åkrar och hus och nergrävda
skinnpåsar med guldstycken och silverbitar, ja om
det överhuvudtaget var känt hur ordning och reda
kan uppkomma så att allting blir som det ska vara,
hur det utplånade kan återuppstå.

Men de var tystlåtna i Ume.

144

Troligen begrep de sig helt enkelt inte på den svårmodige Könik och hans outrannsakliga ärende.

Så där kan man fråga uppåt skogen, sade någon, här vid kusten är allting givet och självklart sedan urminnes tider.

Dem som kommer med sådana frågor brukar vi hudflänga, sade en annan.

Men någon sade att jo, den där sjukdomen var över. Och de hade begravt sina döda.

Och han upprepade det: Vi har begravt våra döda.

Vi har också begravt dem, sade Könik. Och han som avlade ett barn i sin dotter har vi grävt ner ute i skogen.

Och då sade någon: Ja men då så.

Vi är sex i livet, sade Könik. I hela Kadis är vi sex allt som allt.

Då får ni sätta i gång och föröka er, sade han som talat om att hudflänga. Om det nu är känt uppåt skogen hur man bär sig åt.

Och han som medgett att sjukdomen var över frågade: Men har ni maten.

Jo, sade Könik. Maten har vi så vi skulle kunna föda hela Ume.

Ja men då så, sade han som tydligen brukade säga så.

Men det är således detta med ägodelarna och

prästerna och ordningen och redan, sade han som pratat om att här vid kusten var allting givet och självklart sedan urminnes tider.

Jo, sade Könik. Det måste komma någon till Kadis och hjälpa oss.

Då var umeborna tysta ett tag. Men sedan sade han som nämnt hudflängningen, han som menade att de skulle föröka sig i Kadis, och han sade det skarpt så att det sedan inte skulle vara lönt att säga något mera: Här ute vid kusten hjälper vi oss själva.

Så Könik började gå hemöver.

Men då han kom till den kullen vid älven som hette Backen, då såg han att de hade hängt en karl, det hade nog nyligen skett för det stod en hel del folk runt omkring.

Och Könik satte sig på en sten. Det var en karl i hans egen ålder eller kanske något äldre, då han svängdes runt av blåsten syntes det att han var tunnhårig i nacken, han såg så vanlig ut att Könik nästan tyckte sig känna igen honom. Det var fasansfullt, men det var ändå som det skulle vara.

Snett bakom Könik stod en karl och tuggade på en strimla sälgbark, han hade stora frätsår på läpparna, och Könik vände sig om och frågade honom om den där som de hade hängt.

Rätten dömde honom, sade karlen.

Jo. Rätten dömde honom.

146

Det var de skönaste ord Könik hade hört på länge, han blev själv förvånad då han upptäckte hur vackert han tyckte att det lät: Rätten dömde honom.

Och han var tvungen att upprepa dem högt: Jaha ja, rätten dömde honom.

Sedan frågade han varför rätten då hade dömt honom.

Jo, det var ju så att det hade blivit ont om barnen, på många ställen hade barnen alldeles tagit slut, barnen hade utrotats av den där starka sjukdomen som hade varit. Och många var nu ensamma eller kunde för en eller annan orsaks skull inte skaffa några nya, barn var ju inte något som växte ur marken, antingen kom de till världen eller också inte. Därför var det i dessa tider åtskilliga som stal sig ett barn där de kunde komma åt, mest var det spädbarnen och de döpte om dem och gjorde dem till sina egna, ja på andra håll hade barnen helt enkelt blivit en handelsvara, man stal och sålde och köpte barnen som om de var saltsäckar eller bäverskinn. Det förekom även att de som i sig inte var i behov av några barn roffade åt sig en eller annan unge på oärligt vis bara därför att andra gjorde det, det hade blivit som en sjukdom detta med barnen. Den här som de hade hängt var från Hiske, han var änkling och hade mistat alla åtta barnen, han hade stulit en nyfödd i Lövön.

Fast nog kunde de ha låtit honom löpa, sade han som tuggade sälgbarken, barnet kom ju till rätta och han hade ångrat sig alldeles ohyggligt och han hade till och med förordnat att barnet skulle ärva allt han ägde och hade. Det var väl mest bara en tillfällighet att han for till Lövön och stal sig ett barn. Han hade själv sagt: Jag gjorde det som i dvala.

Men då reste sig Könik från stenen där han satt och nu talade han så högt men samtidigt osäkert och stapplande att det nästan var svårt att förstå vad han sade:

Han som så mycket som räcker ett lillfinger åt tillfälligheterna och dvalan, han får skylla sig själv, tillfälligheterna ska man bekämpa och helst utrota och ur dvalan ska man uppstå. Den här karlen som av våda hade lagt sig till med en unge i Lövön, han skulle vara tacksam att det fanns en ordning och en form och ett mönster som tog hand om honom, att det fanns ett tillvägagångssätt också för hans särskilda fall. Det skulle han veta, han den hängde således, att det fanns människor som var tvungna att leva utan reda och sammanhang, bara som det råkade falla sig.

Såsom nu i Kadis.

Nej, det som här hade skett, det var lika enkelt och gott som att gräset växer och att Gud ska låta de döda uppstå den dagen det behövs, det var helt enkelt

nödvändigt. Det var med möda han sade ordet nöd-
vändigt, det var så väldigt att det nätt och jämnt rym-
des i munnen. Om det nödvändiga ville han gärna
ha sagt att det var tyngre och skönare än allting an-
nat, jag kan aldrig, sade Könik, med kniven eller
stämjärnet tälja till någonting som är fullkomligt på
samma vis som det nödvändiga, människan kan inte
leva utan det som är nödvändigt. Jag är snickare, för-
klarade han, och jag brukar även skära bilder. Det är
nödvändigt att orsaker följs av sina verkningar, att
det ena sker först och det andra sedan och att man
tar det för givet, ja att man inte bara fogar sig och går
igenom det utan att man även söker efter det nöd-
vändiga och självklara, att man tar emot det som om
det vore Guds bröd och vin. Man kan icke leva såsom
i en skröna där vad som helst kan ske, huller om bul-
ler och utan sammanhang. Det ville han bara ha
sagt.

Han som tuggade sälgbarken tyckte sig förstå att
detta var vad Könik menade.

Men innan han hade tänkt ut vad han skulle kun-
na svara, någonting borde han väl säga eftersom han
liksom hade gjort den hängdes sak till sin, så hade
Könik gått därifrån. Han skulle ju hem till Kadis
igen.

Endast två dagar var han borta. Då han återvänt, han hade bara hunnit sätta sig ner och dricka en skopa soppa, då kom Bera och Borne och Ädla och Önde, de visste att han kommit tillbaka från Ume.

Så Könik talade om vad han fått veta.

Och när han berättade att nu stal man barnen, alla slags barn men i synnerhet söner, man gjorde det för att ha dem i stället för barnen man mistat, ja man stal dem även för att sälja dem som om de vore saltet eller silvret, när han sade det då lade Ädla och Eira händerna över bukarna som om de redan nu måste börja vakta och hålla fast sina barn. Till och med Bera tog händerna från ansiktet och lade dem över ett tänkt barn, ja ett barn som hon förut aldrig ens hade drömt om men som hon nu plötsligt föreställde sig.

Och Könik nämnde även att nu var många av karlarna i Ume klädda i något som kallades byxor och att kjortlarna deras var avskurna vid höfterna. Och att rätten dömde dem som stal barnen. Han hade också tänkt att om han beskrev byxan riktigt noga för Eira så skulle hon säkert kunna sömma en åt honom, den kunde vara antingen av skinnet eller av tyget.

Sedan pratade de länge och väl om byxorna, hur mycket tyg eller skinn som kunde gå åt och var sömmarna skulle sitta och hur de skulle vara gjorda så att man kunde taga dem av sig och om de kunde vara lika åt framsidan och baksidan, som om dessa byxor var vad de verkligen hade saknat, de hade alla på olika vis pinats av en dunkel vetskap att Kadis numera var ofullkomligt, det var en befrielse för dem att finna ett ord och ett föremål som åtminstone för tillfället kunde visa sig vara detta som de saknat.

Sedan Eira hade sömmat byxan åt Könik hjälpte hon Ädla att göra den som Önde skulle ha. Och Bera och Ädla sömmade Bornes, den var av kaninskinn och hade vid sidan en pung där han kunde förvara en kniv eller koppjärnet, han var nu den ende i Kadis som visste hur man slår åder. Eller han kunde helt enkelt sticka ner handen i den där pungen om det var kallt. Det gick åt tjugo skinn till Bornes byxa, han hade sådana väldiga lår.

Kaninerna i Kadis var väl egentligen inte så många, men de var överallt. En del fanns i husen, både i de bebodda och i de öde, många levde i halmen i bäddarna, de kaninerna hade namn och var välbekanta, ja de hade till och med levnadsöden, alltid var det något som visade vem en särskild kanin var:

152

örontofsarna, ett svart kors över ryggen, ett skadat bakben eller något annat kännetecken som gjorde dem till enskilda varelser eller stackare.

Men dessutom fanns de namnlösa, de som var än här än där och som inte levde liv som lät sig beskrivas, ibland var de i skogen och ibland inne i Kadis, de var skygga som harar och de sprang också mycket fortare och mera skräckslaget än de bekanta och benämnda kaninerna, de var förvildade men de bar ännu på en ohygglig ängslan sedan tiden hos människorna, ingenting var givet och självklart för dem, de grävde sina hålor var som helst i jorden.

Könik kunde inte tåla de vilda kaninerna.

Han talade inte ens med Eira om det. Men om han hade försökt, då skulle han ha sagt att de var upproriska och gudlösa, att de kanske på något oförklarligt vis också var farliga, vem kunde säkert veta att huggtänder och rovdjursklor aldrig växer fram på kaniner, han hade hört de vilda kaninerna väsa som lokatter, härnäst skulle de kanske yla som vargar.

En gång sade Önde: Det är konstigt, då jag var barn fanns det inga kaniner i Kadis.

Nej, det är sant, sade Borne, jag har inte tänkt på det förr. Men det fanns inte en enda kanin.

Om det hade funnits kaniner, sade Önde, då hade vi aldrig kunnat glömma det.

Vi skulle ha jagat dem, sade Borne. Och gjort bu-

153

rar åt dem och brutit sälgkvistar åt dem i skogen.

Och vi skulle ha provat kaninungarna som beten nere i älven, sade Önde.

Det är märkvärdigt, sade Borne. Men det måste väl alltid ha funnits kaniner i skogen.

Jo, sade Önde. Och några har tagit sig in i Kadis och blivit tama.

Fast det är besynnerligt, sade Borne. Att man inte kan minnas när det hände.

Men då skrek Könik åt dem: Det var ju Jaspar som kom med den där kaninkäringen. Han hade varit i Nordingrå. Han letade efter en kvinna. Och du Önde gjorde en mössa av skinnet.

Han hade inte den mössan längre, han hade tätat en springa i väggen med den och råttorna hade ätit upp den.

Jo visst ja, sade Önde.

Jo, sade Borne, så var det ju.

Och de vart tysta, de stirrade ner i backen som om Könik hade påmint dem om något oerhört bedröv-ligt eller som om de skämdes för att de hade glömt Jaspar och kaninkäringen, ja som om de hade för-brutit sig svårt då de tillåtit sig att glömma nästan allting.

Jag undrar när det kan ha varit, sade Borne till slut.

Det var samma år som far dog, sade Önde.

154

Det var samma år som alla människor började dö, sade Könik.

Det är länge sedan, sade Borne.

Det är evigheter, sade Önde.

Och nu hade Könik gärna velat säga dem hur lång tid som gått sedan Jaspar kom hem från Nordingrå med kaninkäringen. Han önskade att han kunnat säga hur många år det var och hur många veckor och dagar det var och hur många gånger månen varit ny. Men det kunde han inte.

Han visste ingenting annat än att det var förfärande länge sedan.

Nej, sade han, så ohyggligt långa tider kan det knappast vara.

Och nu satte de i gång att räkna och mäta tiden som gått, de försökte ordna det förflutna i år och dagar och årstider, de hjälptes åt att minnas så att någon sorts kedja av förlopp skulle visa sig, de sökte skillnaden mellan först och sedan och mellan senast och tidigast och början och slut, i första hand prövade de olika krokar och öglor av enskilda tillfällen och tilldragelser där de kunde hänga upp eller häkta fast all den övriga tiden.

En ko är dräktig tvåhundranitti dagar. Prästen dog bland de första. Då älven har rivit, då blir det fort sommar. En gång hade det snöat på snåtterblommen. En kvinna är havande i tvåhundrasjutti dagar. Tomas slaktaren sade just innan han dog att han var förti år. Somliga kaniner tycks föda samma dag som de blivit betäckta. Avar var den siste som dog. Nej, han dog inte. Den första heta vårdagen ett okänt år fick Yvars ko mjältbrand så att Tomas slaktade henne, då levde således Tomas. Jalte hade fem barn och de dog alla samma dag och det var innan Avar sade att kapellet var hans. Då Olavus handelsmannen kom, då levde Jalte för han hade visat honom vägen. Nej, Jalte var död, Olavus fann vägen själv. Och nu är det höst. Det är den hösten då Ädla och Eira ska föda. Det ska vi icke glömma. Och snart är det vinter. Det är den vintern då vi ska hjälpas åt att laga taket som rasat på Yvars smedja. Utan smedja kan vi ändå inte vara och vi är ju händiga karlar alla tre, i varje fall jag Önde och du Könik.

Så var det alltså med tiden, med åren och dagarna som gått och deras antal, de hade gjort sig oräkneliga genom att gå in i varandra och göra sig oigenkännliga och alla lika, den ena stunden hade varit över just då den börjat och den andra hade varat så länge någon av dem kunde minnas, en dag fanns något och en annan dag fanns det inte eller hade ännu inte börjat finnas, ibland levde en människa och ibland var hon död, stundom var det sommar stundom vinter, mest hade de gått och sett ner i marken men om de blickat uppåt så hade det ibland varit molnen och ibland solen, ibland mörkt och ibland ljust, det mesta var förgånget och en del återstod.

Så de gav upp, Önde och Könik och Borne, som om detta med tidsordningen egentligen inte hade någon större betydelse eller som om de fruktat att tiden kunde ta slut om de verkligen lyckades räkna den.

Det var omöjligt att veta hur länge det var sedan den där dagen då Jaspar kom hem från Nordingrå.

Och Könik var givetvis förtvivlad. Det var med tiden som med allting annat.

Men kaninerna är en förbannelse, sade Borne.

Jo, sade Önde. De äter kålen. Och barken på syrenerna.

Önde hade två syrenbuskar vid huset, det var Cecilia som hade skaffat dem medan hon var hos honom. Då de blommade gick han aldrig hemifrån, han satt bara och såg på blommorna, de var blå.

Och de gräver gångar, sade Borne. Under husen och överallt.

Jag trampade genom grästorven framom Beras hus, sade Könik. Jag trodde jag skulle falla ner i helvetet. Men det var bara en håla kaninerna grävt.

De är som ohyra, sade Önde.

Vi skulle dräpa ut dem, sade Borne.

Det går inte, sade Könik. Medan du dräper en så hinner en annan föda tie nya.

Men ändå, sade Borne. Man borde lära dem. Så att de begrep.

Då teg de och tänkte en stund. Sedan sade Könik: Men de är ju på något vis så oskyldiga och köttet smakar nästan ingenting.

Just då kom en stor och fet kaningubbe skuttande fram till dem, han nosade på Bornes kaninskinnsbyxa och Öndes remskor. Och Önde satte ner handen och lyfte upp honom och strök honom över ryggen och lutade sig fram och gned ansiktet mot pälsen, det var en av de vita som inte ens hade svarta tofsar på öronen, och Önde kliade honom med pekfingret mellan frambenen. Men sedan tog han mycket hastigt tag över ögonen och omkring nosen och ryckte till och vred skallen av kaningubben.

Och det blev som ett tecken för Könik och Borne, även de var tvungna att göra något åt detta med kaninerna, Önde satte till och med tänderna i nacken på kaningubben och bet av skinnet så att han kunde rycka loss skallen, och Könik och Borne satte i gång att löpa och jaga alla kaniner som de kunde få syn på. Könik var snabbare än den tunge Borne, han kunde till och med hinna ifatt kaniner som sprang mot skogen, och de tog kaninkäringar och ungar som låg inkrupna litet varstans, under trappstenar och bakom vedstaplar och i fjolårshöet och under uppochnervända träsåar. De vred skallarna av dem eller tog dem i bakbenen och drämde dem i en vägg eller en sten. Och de gick in i de öde husen och grävde i vedbänkarna och matlådorna och klädkistorna efter kaniner, Borne fann till och med en hanne som hade bosatt sig i Gotes köttgryta, han låg där och darrade som om han länge hade väntat att bli satt över elden. Då händerna blev för blodiga för att gripa riktigt torkade de av dem på gräset, de blev blöta av svett, särskilt Könik, han tänkte egentligen inte på vad han gjorde, han rusade omkring som i dvala, de ropade ivrigt och upphetsat åt varandra och flämtade och de till och med kluckade och skrattade, och när en av dem hade fångat en särskilt stor och präktig eller märkvärdigt mönstrad eller färgad kanin höll han upp den i bakbenen och skrek lyckligt och häpet så att de båda andra jägarna också skulle se den innan han slängde honom i väggen. Nej, Könik tänkte egentligen inte på vad han gjorde, han ville ingenting annat än befria Kadis, åtminstone från kaninerna, äntligen kunde han med händerna åstadkomma någon sorts rensning och rätt och återställande, det var tillvarons vilda oreda som han gång på gång slog mot stockar och skarpa stenar och avlivade. Kaninerna var väl inte ansvariga för upplösningen och förvirringen men de företrädde den, och Könik var ivrigast och flinkast av de tre karlarna, han flängde och for så att fötterna ofta gled iväg

159

under honom på gräset och han föll raklång, kaninerna använde samma knep som hararna då de har hunden eller vargen efter sig, de for aldrig rätt fram utan gjorde ideligen tvära kast och slängar. Fast några av dem gjorde som fåglarna, de lade sig ner och var liksom lama.

Till slut hade de alla tre, Önde och Borne och Könik, råkat driva var sin kanin in i Tvares fähus. Då de hade dräpt dem blev de stående och såg på varandra, de var nedstänkta med blod och flåsade häftigt, och Borne sade: Detta hade de nog aldrig tänkt sig.

Men Önde och Könik sade ingenting, de måste spänna köttet på hela kroppen så att de darrade för att kunna stå stilla.

Därinne stod Tvares kor, det var två av de kor som de gemensamt hade fortsatt att föda och mjölka och sköta åt de döda, åt ingen. Och dessutom kvigan som Borne hade tillskiftat sig själv. De hade varit ute tidigare på dagen, nu hade de självmant gått och ställt sig i sina bås, de väntade på att Eira skulle komma och mjölka dem, de stod och järtade det magra gräset utifrån skogen.

Så gick Önde ut och var borta en stund, då han kom tillbaka hade han en yxa i händerna, det var en av de där bredbladiga som Yvar brukat smida. Och med ett väldigt slag med yxhammaren fällde han den ena kon, hon som hette Lene, han slog henne i pannan och hon segnade ner som om klövarna och benen sjunkit genom tunn is.

Och även detta blev till ett tecken för Borne och Könik. Könik tog yxan ur Öndes händer och slakta- de den andra, hon som hette Harda.

Kvigan dräpte Borne själv.

Och Könik fann en slägga inne i Tvares hus.

Den aftonen dräpte de tjugo mjölkkor, tolv kalvar, femton får, ett okänt antal getter, två galtar, fem sug- gor och arton smågrisar, och det var fler fäkreatur än de dittills sammantaget hade dräpt i sina liv.

Könik sprang nu inte, han gick lugnt och klokt från hus till hus och dräpte, han var ju en händig karl och gjorde sin sak väl, tänkte något gjorde han inte, han hade fullt upp med sina händers verk. Men om han hade tänkt något skulle det ha varit: Dessa kräk har förbrutit sig mot det givna och självklara genom att vara överflödiga, de söndrar och stympar eller rättare sagt överfyller och spränger skapelsen med sin fåfänglighet, de förrycker vad som är lagom och passande och rubbar jämvikten i Kadis så att vi alla vacklar och snart faller, deras liv strider mot sunt förnuft, det är bättre för dem att de får dö. Och han skulle även ha tänkt: Allting rör sig ändå framåt men åt vilket håll och mot vad, det är ovisst.

Slutligen stod han framför Evans sugga som hette Pila, hon som hade fött hans egen galt Blasius, han stod och måttade med släggan, svin ska man slå mitt mellan öronen ganska högt upp.

Men just då kom Önde och han skrek: Vet du vad hon heter.

Då sänkte Könik släggan, han var nu täckt av blod från håret och ner till fötterna och han andades tungt för han började bli trött. Nej, sade han, det har jag aldrig tänkt på.

Hon heter Cecilia, sade Önde.

Könik skärskådade suggan, hon var fetast av alla de djur han stått framför den dagen.

Vem har gett henne det namnet, sade han.

Antingen Evan eller jag, sade Önde, jag minns inte så noga.

Jag ska inte dräpa henne, sade Könik.

Och hon är mor åt din Blasius, sade Önde.

Jag tänkte mig inte så noga för, sade Könik.

Det är som en väv alltihop, sade Önde. Eller som en flätad videkorg. Eller ett laxgarn man binder.

Jag hade nog ändå inte kommit att dräpa henne, sade Könik.

Så fick suggan leva, det tycktes självklart att hon skulle frälsas, kanske var det för hennes namns skull, och hon vart så småningom nästan obegripligt gammal. Först långt senare, då den här berättelsen nästan är slut, dog hon av ålderdom.

Också Borne kom in till dem i fähuset. Och han

såg att de hade skonat suggan.

Och hon då, sade han.

Nej, sade Könik.

Därmed sade han också: Nu är det nog, vi har kommit till sans igen, mer ordning och reda och mer förbistring och söndring kan vi för stunden inte åstadkomma.

Det ser sannerligen ohyggligt ut omkring oss, sade han sedan.

Och det var sant: blod flöt överallt och det låg kroppar både här och där.

Därför hämtade Borne ett rep och de började släpa de slaktade djuren till den öppna platsen framför kapellet, de hjälptes åt med de tyngsta kräken, fåren och lammen och getterna och smågrisarna bar de i famnen, de liknade herdar som prästen haft på en hoprullad bild i kapellet, de staplade kropparna på varandra och lät ben och halsar och skallar häktas samman så att bygget skulle bli stadigt. Det blev ett berg av kroppar, det såg ut som ett väldigt upplag av tjärstubbar eller ett röse av de mest oformliga stenar, medan de reste detta dystra kummel började det skymma. Då kom Önde med tjärvedskäppar och de hämtade eld hos Bera. Sedan strävade de vidare i ljuset från de facklorna, ingen av dem ville göra kväll innan de bestyrt vad de skulle. Om en främling kommit och sett dem hade han helt visst trott att de firade någon sorts fest i mörkret, de flammande blossen svängde och vajade och fördes hit och dit genom Kadis, det var ju också vid den tiden då man har burit in höet och rycker upp de första rovorna, det var rätt tid för en skördefest.

Sist av allt försökte de samla ihop kaninerna.

Men det var svårt, kaninkropparna var små och låg gömda i gräset, varken Borne eller Önde eller Könik hade längre något minne av var de slängt dem, det var ju också så ohyggligt länge sedan. Om någon hade frågat dem när det var som de jagade kaninerna hade de kommit att säga: Jo, vi minns att vi gjorde det, men när det var är alldeles omöjligt att komma ihåg, men det var efter maten en dag mot slutet av sommaren.

De gav upp då Könik råkade gripa en levande kanin i stället för en död, då gick de ner till älvkanten. De klädde inte av sig, Könik bar kaninen på ena armen, i den andra handen höll han tjärblosset. När de sänkte sig ner i vattnet slocknade facklorna, de satte sig på huk som de brukat göra när de var barn, de satt alldeles stilla och lät vattnet skölja dem rena så gott det nu gick, Könik och Önde skakade och darrade men inte Borne.

Könik tog med sig kaninen hem till Eira, han bar den fram till elden så att hon skulle se den, det var en hona. Hon låg fullkomligt trygg i Köniks händer,

på knogarna och runt naglarna och i tumvecket ha-
de han svartnat blod som vattnet inte förmått lösa
upp.

Hon har magen full med ungar, sade han. Och
nöjd och munter verkar hon.

Och han lade till: Jag tycker att hon liknar dig.

Men då började Eira skratta så att hon blev tvung-
en att fläta samman händerna till stöd under ma-
gen, hon såg på sprittningarna i kaninansiktet och
begrep så innerligt väl hur Könik menade, och Kö-
nik satte också igång att skratta våldsamt, han kunde
inte alls behärska sig då han lät blicken kvickt fara
mellan Eira och kaninen och då han hörde hennes
otyglade skratt, de storskrattade tillsammans så att
Könik nödgades sätta ner kaninen och ta stöd med
axeln mot väggen, han var ju också mycket trött. Och
till sist tvangs Eira att lägga sig ner på bädden, skrat-
tet höll på att övergå i kramp, hon fick ju inte ställa
det så att hon för kaninens och munterhetens skull
började föda innan hennes tid var inne.

Det här var de kräk som nu var i livet: Öndes ko och hennes kalv. Beras getter. Bornes egen ko och de bägge kor han förvaltade åt Germund som var död. Ädlas kor och kalvar. Evans sugga som var Öndes. Köniks ko. Jaltes tjur som Önde tagit hand om. Ett oberäkneligt antal kaniner. Det var allt som återstod sedan karlarna frälst Kadis från de överflödiga djuren.

Och så Köniks och Eiras galt Blasius.

Han var redan nu större än den gamle fargalten hade varit, ja han var resligare än något svin före honom i Kadis. Det var inte enbart detta att hans fläsk tillväxte även om han verkligen lade på hullet så att han täcktes av väldiga valkar som rullade likt vågor fram och tillbaka över hans rygg då han rörde sig,

166

nej hans benstomme blev också allt grövre, han var bred över bringan som en häst och så hög på benen att den tunga lemmen svängde fritt även om han stod nedsjunken till knälederna i sin träck.

Han åt inte bara den mat Eira tre gånger om dagen bar till honom, Önde och Ädla och till och med Bera kom ofta med byttor eller spannar med surnad mat och gällen mjölk eller rovor och rötter som de kokat åt honom när kitteln ändå hängde över elden, de stod hos honom och kliade hans stinna nacke och pratade med honom och beundrade honom, de jollrade med honom som om han varit ett barn, han var ju också länge den sist födde i Kadis. Och när han tog emot deras gåvor och hörde på deras röster som blev så märkvärdigt gälla och pipiga, då reste sig borsten på hela hans kropp som om han försökt invända mot all denna tillgivenhet, som om han velat visa dem något av den strävhet och det mörker som dolde sig djupast i hans väsen.

Men för dem som besökte honom var han inte endast Blasius, han föreställde också något annat än sig själv, han var något som växte och vart allt bättre och godare, han bar vittnesbörd om tider som skulle komma, han skulle frodas och så småningom kanske också bära frukt. Önde sade det till honom: Om suggan din mor än en gång ska betäckas, då finns bara du som kan göra det.

Önde övade honom också i konster: att hålla en liten rova på trynet och kasta den upp i luften och fånga den med tänderna och att sitta på de mäktiga skinkorna med frambenen i vädret och att grymta i korta stötar så att han lät som en skällande hund, som kulting hade han ju på många sätt liknat just en valp.

Blasius avgav värme som en sten som länge legat i solen, i kvällningen steg alltid ett vitt band av ånga upp från hans stia. Det var sannolikt därför som kaninerna älskade Blasius. De samlades hos honom, särskilt nattetid, och de grävde gångar och hålor i jorden under honom och i hans träck och i halmen, när han lade sig ner för att sova tryckte de sig mot hans rygg och kröp in mellan det hängande halsfläsket och frambenen, de mest oförvägna ungarna försökte förgäves att dia honom. Och han lät dem hållas, världen och skapelsen innehöll även kaniner, den urkraft som danat honom hade också danat kaninerna, de var väl någon sorts ofullgångna syskon, och han lät sin värme flöda över dem. En gång då Eira kom med maten till honom fick hon se hur två kaniner red på hans rygg medan han löpte fram och åter i stian.

Men det hände att han tog sig en kanin. Då gjorde han bara ett snabbt kast med huvudet och slukade en av dem, vilken som helst, det gick så fort att den uppätne kaninen inte hann förstå vad som hände, han tuggade ett par tag med käftarna och så var allt över. Och de andra kaninerna brydde sig inte om det som skett, det var en olyckshändelse eller en liten avgift som de fick betala för värmen hos Blasius, möjligen vände de en kort stund hänsynsfullt blicken åt annat håll. För dem var ju också det enskilda lilla livet alldeles utan betydelse, personligheten bestod på sin höjd i svarta tofsar på öronen eller några säreget färgade hårstrån på ryggen, ingenting annat. För kaninerna var stammen och sorten det enda som betydde något, det gällde att frälsa arten undan dödens käftar, om ett enstaka liv gick förlorat var ingenting att fästa sig vid så länge detta som var större, det kaninliga, kunde bevaras och fortplantas.

Genom den oresonliga slakten hade Önde och Borne och Könik krympt och yxat till Kadis så att det åter skulle passa dem, de hade befriat sig från bördan av detta omänskliga överflöd, gripna av vanvett hade de gjort det enda förnuftiga. Nu hade de vad de behövde: mjölken från de egna korna, fisken ur älven, kornet och rötterna och rovorna, djuren i skogen. Och kaninerna.

Den första morgonen ångade det ännu ur berget av djur, men sedan svalnade det fort. De första dagarna kunde de hämta allt det kött de ville ha, lår-klumpar och ryggstycken och tungor, och Eira koka-de två hela grisar åt Blasius, men sedan började kropparna att jäsa, de var ju inte urtagna och inte tappade på blod, i solvärmen svällde bukarna så att en del djur på nytt började röra sig och det blev en ohygglig stank. Och Könik bestämde att allt skulle brännas trots att Önde sade: Det kan aldrig vara nödvändigt, vi vänjer oss, lukten är ovanlig men inte farlig, innan nästa sommar har räven och rötan tagit alltihop.

De stack in torrfuror i köttberget och vräkte ris och kvistar och stammar över det, de fyllde alla hål-rum de kunde komma åt med näver och bark, och de hämtade eld från Öndes hus och tände den vidri-ga kasen.

Men när elden förbrukat allt det brännbara låg djurkropparna kvar nästan oberörda, bara några öron och svansar var förkolnade och lukten av bränt hår och skinn spred sig över Kadis.

Så de började på nytt: stammar och kvistar och ris och bark och näver.

Sex dagar eldade de, först på den sjunde var det mesta förbränt, då återstod bara en hög av kotor och skallar. Men också den högen var ansenlig.

Det var alldeles vindstilla de här dagarna och en tung värme, röken från elden vällde ut över Kadis och blev liggande kvar, den var gulbrun och hade en söt men ändå bitter smak, den skymde solen så att det blev omöjligt att skilja dagens stunder från varandra och den fastnade på alla föremål och på människornas och kräkens kroppar, då kvinnorna som höll sig inne i husen kliade en kind eller ett ögonlock klibbade en gul massa vid fingertopparna, ett segt sot som liknade tjära, och Blasius som försökte rulla sig fri från röken täcktes av lager på lager av halm och träck så att han vart lik en björnhanne. Och karlarna fick treva sig fram mellan husen, de såg bara några få steg framför sig, även ute i skogen lägrade sig röken så att det var slump och tillfälligheter som avgjorde vilka träd som fälldes och släpades till elden.

Önde och Borne förbannade röken. Men Könik bar den med tålamod, för honom var den bara sann och riktig. I röken visade sig världen sådan som den verkligen var. Han var förtrogen med detta dunkel, ja han gladde sig åt att också de andra med egna ögon fick se Kadis så som det nu egentligen blivit.

Könik brydde sig inte ens om att hosta. Men de andra hostade, ja Borne fick sådana anfall av rethostan att han gång på gång nödgades gå undan bakom en buske eller krypa in under en stolpbod och kräkas.

Och Ädla hostade så att hon började föda.

Det var Könik som råkade komma förbi, han uppfattade gråt och kvidanden av en sort som han inte hade hört sedan folket slutade dö, och han trevade sig in till henne. Hon låg på bädden, då han kände över henne med bägge händerna begrep han genast hur det var ställt. Hon hostade och gnällde så eländigt att hjälplösheten som annars satt som en värkande bulnad i bröstet steg upp i strupen så att han nästan inte fick luften.

Och han tänkte: Det måste vi ändå försöka minnas att Ädla födde Avars barn då vi brände djuren som hade omkommit.

Sedan hämtade han Eira det fortaste han kunde.

Men när Eira kom till Ädla och kände på henne, hur ihopknuten men samtidigt uppfläkt hon låg, och hörde hennes ohyggliga födelsehosta, då blev hon så förskräckt att hon började skaka i hela kroppen, det gick en ristning av smärta genom hennes buk som om Ädlas födande höll på att smitta henne, och hon satte händerna för öronen och sprang hukande och snörvlande hem igen.

Då återstod för Könik ingen annan än Önde.

Du som aldrig är rådlös, sade Könik. Du som kan sätta händerna i vad som helst. Du som aldrig gör någon åtskillnad.

Och Önde behövde inte ens något ljus från tjärstickor, han kunde göra vad som än krävdes i det tä-

172

taste mörker, det kunde han alltid, för honom fanns ingenting som var upprörande felaktigt eller ofattbart.

Barnhuvudet var redan ute och han grep tag om det med bägge händerna och förlossade Ädla och han tuggade av navelsträngen med kindtänderna. Sedan rev han sönder ett stycke tyg, han visste inte vad det var, det var moderns gamla kjortel där Ädlas kaniner hade bott och med det tyget lindade han barnet. Så hörde han att Ädla hostande och med mycket svag och bedrövlig röst sade: Han ska heta Avar.

Då erinrade sig Önde att han hade försummat att undersöka vad det var för sorts barn Ädla hade fött, Avars barn och barnbarn, arvingen som hon lyckats föda inne i denna ohyggliga rök. Så han öppnade tyget som han hade lindat omkring det och stack in handen och kände efter med pekfingret. Sedan sade han:

Hon kan inte heta Avar.

Och hon sade inte något annat namn. Som om hon menade att en flicka just i det här fallet lika gärna kunde vara namnlös.

Han lade henne hos Ädla och Ädla tog henne till sig och gav henne bröstet, och då Önde hörde att den nyfödda började smacka och suga, då gick han ut till de andra karlarna och fortsatte det ändlösa och vämjeliga eldandet.

I sex dagar låg således röken som en tjärdrypande dimma över Kadis.

Eira skötte Ädla och barnet. Men Ädla behövde inte skötas mycket, hon hade inte tagit nämnvärd skada av födandet och var snart på benen, det var som om hon hade varit inrättad för att föda just Avars barn, som om hennes kropp och barnets på något gåtfullt sätt hade varit gjorda efter en gemensam mall.

Då slutligen djurberget stekts ner och smält samman så att endast kotor och skallar återstod, då var Ädla där med barnet i en korg som låg mot hennes bröst, Önde hade gjort korgen, hon stod och såg hur karlarna lastade de svartbrända benen i Avars höskrinda och drog dem ner till älvkanten, lass efter lass, de vräkte alltsammans ut i vattnet, somligt sjönk, annat flöt sakta och liksom tvekande ut mot Ume och havet.

Och Könik kunde fortfarande känna igen varenda benbit, hans ögon var sådana, det där hade varit Yvars ko och det där hade varit Evans tjurkalv och detta var en gång Tvares galt, han visste inte själv hur ögonen bar sig åt, en enkel form eller linje var nog för att hans skamsna och bestörta blick skulle återskapa hela den förlorade gestalten. Men han sade ingenting åt Önde eller Borne, hur skulle de ha kunnat begripa, nej inte ens åt Eira.

Men rätt som det var sade Önde: Minns du då vi var små och drev dem allihop åt skogen och de hade skällor i träljarna.

Så oskyldig som Önde var ingen annan människa på jorden.

Men Könik tog två steg fram mot honom och spände ut bröstet och skrek så häftigt att rösten brast: Nej icke.

Och han satte sin knutna näve mot Öndes revben, mot hjärtat, och tillade: Det kan jag icke minnas att vi någonsin har gjort och särskilt icke träljarna och skällorna.

Och Önde begrep efter sin vana allt och ingenting. Så han log bara lugnt och stadigt mot Könik, han sade ingenting mer, och så småningom sjönk ju Könik ihop igen och blev som vanligt så att de kunde fara med de sista lassen.

De närmaste dagarna arbetade Könik med hängsätet som han lovat Avar, en liten stol som han narade fast i ändan på en stång som var böjd så att hela anordningen såg ut som en människoarm där handen var sätet, och han hängde upp den i en bjälke i Ädlas tak.

Men Ädlas och Avars dotter fick sig ändå ett namn, hon fick heta Maria. Det var Önde som gav henne namnet. Könik använde det aldrig, för honom var detta barn i sig själv en felaktighet och en förvillelse som aldrig kunde inneslutas i ett namn.

Och Könik fick rummet färdigt som han byggde vid sitt hus och Eira satte ett förhänge av fårskinn i öppningen mellan rummet och huset. Men rummet var ändå inte det rum som Könik hade tänkt sig. För honom var det nu så med allt.

Och Blasius växte och frodades.

Bera var inte längre ensam med sina getter, Borne hade flyttat till henne. Han kom en afton och satt sedan kvar medan det skymde, ja det blev svarta natten.

176

Jag bryr mig inte om det där med tänderna, sade han.

Vilka tänder, sade Bera.

Dem du inte har, sade Borne.

Hur kan du veta något om mina tänder, sade Bera.

Det vet alla människor, sade Borne. Det vet hela Kadis. Du håller handen för munnen så att det inte ska synas.

Alla människor, sade Bera.

Jo, sade Borne. Alla människor.

Jag har aldrig tänkt på det, sade Bera. Men då du säger det. Fast det kan ju vem som helst råka ut för.

Jag bryr mig som sagt inte om det, sade Borne.

Jag är ju inte särskilt gammal, sade Bera. Än kan jag få tänderna.

Så teg de. Yvar hade smitt små pinglor åt Beras getter, de ringde.

Sedan sade Bera: Jag tycker att det är ohyggligt, allt som du har gjort.

Vad har jag gjort, sade Borne.

Du har gjort det som ingen annan har velat göra, sade Bera.

Någon måste ju göra det, sade Borne. Det kan vem som helst råka ut för.

Hur många människor har du hängt upp och hur många har du huggit huvudet av med yxan, sade Bera.

Jag är ju inte särskilt gammal, sade Borne. Det kan inte vara så många.

Men det är ohyggligt, sade Bera.

Jag har aldrig tänkt på det, sade Borne.

Och de var tysta ett bra tag igen.

Fast egentligen bryr jag mig väl inte om det, sade Bera.

Så att från den kvällen sov de tillsammans.

Och Önde flyttade till Ädla. Han tog sin ko och kalven med sig och Jaltes tjur. Och dessutom någonting annat som Ädla inte fick se, en skinnpåse som var fylld med något tungt och klirrande, och han grävde ner den i jordgolvet under Ädlas bädd.

Hon Maria behöver ju ändå liksom någon sorts far, sade han.

Och Ädla mindes hur allt hade gått till och tyckte att det inte var alldeles fel att Önde kunde vara någon sorts far.

Men han fick sova i ett hörn för sig.

En gång var nog och övernog, sade Ädla.

De orden kunde Önde inte tyda, han grubblade mycket över dem. Att något så vidrigt ville hon aldrig mer uppleva. Att hon mindes så väl hur Maria avlades att all upprepning var överflödig. Eller att ingen någonsin kunde vara så som Avar hade varit.

Och Önde fogade sig, han försökte aldrig gripa tag i henne med händerna eller tvinga sig ner i hennes bädd. Men en gång sade han till henne: Det finns människor som vet det nödvändigaste av sig själva och som får allting för intet. Som halvbror min Jaspar. Han visste att han hade en kvinna i Nordingrå och att hon var något kobent och hade nära mellan ögonen och ett litet mellanrum mellan framtänderna och han behövde bara gå och hämta henne.

Du hade ju Cecilia, sade Ädla.

Vad vet du om Cecilia, sade Önde.

Ni levde ihop du och hon och prästen hade läst över er.

Jo, sade Önde, det minns jag.

Det var för alltid, sade Ädla.

Ingenting kan vara för alltid, sade Önde.

Jag vet inte, sade Ädla.

Det finns ingenting som är beständigt, sade Önde. Jag kan inte tänka mig något mer lönlöst och fåfängt än det beständiga. Det som är för alltid, det får vara för mig. Stenarna i jorden de är för alltid och Skravelberget. Då jag tänker på det som varar till evig tid, då får jag en sådan värk i hela kroppen att jag är tvungen att upp och springa flera varv runt Kadis.

Och han nämnde släktingarna och grannarna som den där sjukdomen tog. Och fortsatte:

Allting ska vara som det faller sig. Jag spjärnar

aldrig emot. Att vara tvärsöver är som att pissa på skogsbranden. Det går som det går.

Så skulle han aldrig ha vågat säga om Könik hade hört honom.

Och han sade alldeles som det var i fråga om Cecilia. Det kom en skinnhandlare.

Så enkelt var det, så enkelt var det med allting. Det var den kunskap han hade samlat och det rättesnöre som han levde efter: alltid kommer det en skinnhandlare eller något liknande.

Tog du betalt för henne, sade Ädla.

Och Önde föreföll att grubbla ett tag.

Det minns jag inte, sade han sedan. Och gjorde jag det så var det säkert inte mycket.

Men Könik kunde inte låta bli att gå till rätta med Bera och Borne. Han kom sent en kväll, de hade redan lagt sig. Då han tänkte på dem kunde han inte sova, sade han. De levde som man och hustru utan att vara det. Ingen präst hade läst över dem. Inga handslag hade växlats mellan deras fäder. Ingen fest hade firats, de hade bara parat sig som djuren i skogen. Och var Bera verkligen lovlig, än var inte alla kroppsdelar utvuxna på henne. Och hade inte Borne försyndat sig så ohyggligt mot skapelsen att han rätteligen aldrig skulle röra vid en kvinna.

180

Då de hade hört nog på honom steg Borne upp och tog tag i honom, han lade armarna om honom som om han hade varit en rotstock ur skogen, och bar hem honom till Eira och lade ner honom hos henne i bädden.

Ja, mycket skedde ändå och blev gjort. Borne bar även djävulen som Könik huggit och snidat till kapellet, Könik ville inte göra det, han hade tagit sin hand ifrån honom.

Ädla och Bera saltade in kaniner och harar som Önde och Borne snarade. Och tio tunnor fisk av alla sorter.

Borne gick till Ume och bytte Beras getostar mot mera salt och ett långt rep, hans gamla hade gått åt då de tog hand om djuren.

Och de bärgade hö och löv då det var den tiden, de kräk som nu fanns skulle sannerligen få äta dag och natt om de ville.

Karlarna drog hem vedbrand från skogen.

Och Borne gjorde rent i kistan och lagade låset. Kistan var det minsta huset i Kadis men hade de tjockaste väggarna, där hade man stängt in dem som på olika sätt förbrutit sig på den tiden då det ännu fanns en ordning att förbryta sig emot, den stod vid muren mot begravningsplatsen. Bommen som skulle läggas över dörren hade slagit sig, han gjorde en ny av en gran uppifrån myrkanten, den var grov som hans egna lår och så tung att bara han själv kunde handskas med den, inte ens Önde.

Men Könik gjorde nu ingenting eller nästan ingenting, han väntade att Eira skulle föda. Ingen av dem visste när tiden egentligen var inne, men troligt var att hon hade gått över den. Hon var så tung att hon med knapp nöd kunde gå, Könik var jämt hos henne, allt hon förmådde uträtta var att mata Blasius, men även det var ohyggligt mödosamt för henne. Könik bar spannarna åt henne och hällde maten i tråget, vad hon gjorde var att hon sade: Tag nu och ät, Blasius. Hon förrättade en del av matningens åtbörder och uttalade dess formler och liksom välsignade själva ätandet.

En enda gång lämnade Könik Eira ensam, han följde Borne åt skogen för att leta självvuxet virke till slädmedar.

Då födde Eira.

Men Önde var där, vem annan, han hade kommit med en kittel kokt fisk åt Blasius och allt gick väl. Hon födde så lätt och behändigt att hon knappast ens behövde krysta.

Så när Könik kom från skogen var barnet redan lindat och låg på Eiras arm.

Önde öppnade lindorna så att Könik skulle få se.

En son var det, Könik lyfte upp honom och synade honom som om han varit ett ämne som något

märkvärdigt skulle kunna täljas ur. Han var ett kraf-
tigt barn och pep och gnällde så starkt att Könik fick
tårar i ögonen, på ryggen just under midjan hade
han ett eldrött födelsemärke och på huvudet hade
han redan ett tjockt och mörkbrunt hår. Så lade Kö-
nik ner honom och virade själv trasorna om honom
och lämnade honom tillbaka till Eira.

Sedan Önde gått, han gick då han såg att han inte
behövdes mer, då började Eira och Könik tala om ett
namn åt sonen. I sina minnen fann de stora mäng-
der av namn som ingen hade bruk för mer. Men då
en av dem sade ett namn, vilket som helst, då såg Kö-
nik framför sig den karl som hade varit namnet eller
hörde hans röst, han satt på pallen vid Eiras bädd
och gengångarna kom och gick, de satte sig vid fot-
ändan hos Eira eller stödde sig mot dörrposten eller
värmde händerna över glöden en stund.

Han som ensam verkligen visste hur man binder
alla sorters nät. Han som kunnat läsa tre böner utan-
till. Och han som jämt satt och lagade näten. Han
som hade vetat hur alla var släkt med varandra. Och
han som hade kunnat rista tecknen för alla dessa
namn. Och den ende som ur evighetens synvinkel
kunde skilja mellan dråp och stöld och hor. Han
som visste tiderna för djurens brunst och dräktig-
het. De bägge som vaktat att ingen var vårdslös med
elden. Och han som kunnat vända kalven rätt i kons

kved. Han som hade räknat tiden på trästavar.

Och otaliga andra som lämnat sina namn öde.

Till slut var Könik tvungen att krypa ner hos Eira, bakom hennes rygg, och söka skydd mot alla namnen.

Och hon kände hur han darrade och begrep genast hur det var, hon visste för det mesta ord för ord hur Könik tänkte.

Så här tänkte Könik: Ska han således gå ut i livet klädd i ett namn som tillhör någon annan, finns ingen ände på oredan och förvirringen, måste han vara en namntjuv, kunde man kanske rätt och slätt kalla honom Sonen.

Hon visste också att Könik aldrig skulle uthärda att äga något så orimligt som en son utan namn. Så hon sade:

Kare.

Hon tog det ur tomma intet. Ingen hade förut hetat så i Kadis. Och Könik slutade genast att darra, jovisst, sade han, Kare, som om ingenting hade varit mera självklart än det namnet, den här gången fann vi ändå slutligen en utväg.

Och det hände något märkvärdigt med Blasius. Eira hade alltid försökt att hålla honom ren, varje dag hade hon hällt någon spann vatten över honom, men

184

nu hade han grott igen alldeles, själv kom han aldrig ihåg att han borde skrubba sig mot spjälorna i stian. Medan Eira nu var upptagen av Kare hade Könik ofta tänkt att han borde göra Blasius ren och snygg igen. Men han kom sig inte för med det. Det var ju så fruktansvärt mycket som var på tok. Så varför skulle han bry sig just om Blasius.

Han hade alltså ett tjockt lager av all slags orenlighet över hela kroppen, träck och halm och matrester, och matresterna var mest fisk. Denna tjocka skorpa av avskräde och träck hade börjat jäsa eller rättare sagt glöda, det kom sig av den osannolika kroppsvärmen. Så Blasius blev självlysande. Sent om kvällarna började han avge ett flimrande grönblått sken. Och alla kom dit och stod och såg på honom, de var förvissade att de såg ett underverk. Men Könik tyckte att det här var väl just vad man kunde vänta sig. Då världen löser upp sig och faller sönder, då är underverken givna och självklara. Om någon tänker ut en lögn eller skröna där han stänger inne både djur och människor, då måste en eller annan drabbas även av detta. Det hade snarare varit oförklarligt om Blasius hade avstått från att bli självlysande, en galt av ljus.

Men Eira som förr hade sett hur avskräde och gammal fisk kunde lysa, hon sade bara att de skulle skölja honom ren, och när Önde gjorde det, då blev

Blasius sig själv igen. Men då blev Könik alldeles ifrån sig, han ville se sanningen, han ville inte att den skulle skuras bort med vatten och en skraphake.

Ja, medan de andra tyckte att de redde sig, att de till och med redde sig allt bättre för var dag, blev allt för Könik värre och värre. Inte ens sonen var till någon tröst för honom, han var en glädjekälla mot allt förnuft, hans rätta plats var inte Kadis.

Och han ville förklara för Eira.

Nu hade vargen rivit fem av Beras getter. Förr skulle de alla gått ut med vargnäten. Förr hade årstiderna kommit i rätt ordning och i rättan tid, ja folket i Kadis hade till och med vakat över årstiderna och vetat att framkalla dem om så behövdes. Nu var det ingen som brydde sig. Nu var vattnet i rännan gult. Förr hade Enar kommit att göra det vitt igen. Förr var stigarna mellan husen självklara och tydliga. Nu växte de igen och det vart stigar var som helst. Nu ruttnade stolparna i muren. Förr hade de genast bytt dem mot friska. Förr hade alla tillsammans beslutat allt. Nu sådde man och skördade och slaktade när som helst och var som helst. Nu fanns två nyfödda, förr hade prästen kommit att vattenösa dem och Oda att smörja navlarna och ögonlocken på dem med hästfett.

Ja, så kunde han gå på hela nätter igenom.

Men ändå, sade Eira. Däri rymdes allt hon visste: Men ändå. Det hade hon vetat hela sitt liv.

Sedan måste Könik också alltid nämna Önde. Nu var hans namns tecken ristat överallt. Varje dag på ännu ett hus eller en släde eller en vagn eller en stolpbod eller ett yxskaft eller på ännu ett fähus eller en rökbastu, ja överallt där de två skårorna med tvärstrecket lät sig skäras in. Och på nytt sade Eira: Men ändå. Men hon hörde genast själv att det trots allt fanns tillfällen då de där två orden inte räckte till.

Könik hade som sagt ett djupt veck i pannan, det gick rakt ner från hårfästet till näsroten, han var född med det och det fortsatte till och med ner över näsan och slutade nere på hakspetsen, det var liksom ett tecken som någon hade skurit in utan att fråga honom, och det delade hans ansikte i två hälfter. De två ansiktshalvorna tycktes inte alls höra ihop: den ena var liksom täljd ur en björkstam, hård och orörlig, den andra var som fuktigt läder, slapp och mjuk, hans ena öga var torrt och vidöppet, det andra var till hälften slutet och vätskade sig så att han ideligen fick torka det med handloven. Eira brukade trycka pekfingret mot skåran och stryka honom över pannan.

Ibland tog hon alla fingrarna till hjälp och knåda-

187

de och smekte för att utplåna den där linjen mellan hans högra och hans vänstra ansikte, mellan bitterhetens sida och förtvivlans. Och det hände verkligen att det hjälpte, huden och köttet mjuknade och fogade sig efter hennes fingertoppar, hon gned fram den riktige Könik till pannan och kinderna och skinnet så som man gnider fram blodet i en förfrusen kroppsdel.

Och då inträffade något som Könik inte förstod.

Han slöt ögonen och efter en stund syntes på insidan av ögonlocken ett starkt ljus, till en början en aning skarpt och svidande, men sedan mjuknade det och liknade eftermiddagssolen, visserligen var det småstrimmigt av blod men han blev nöjd och varm av det och till sist somnade han alltid, hon hade då tagit hans huvud i sitt knä, ljuset övergick omärkligt i sömn.

Men då han vaknade var allt som vanligt igen.

Och en förmiddag, ovisst vilken årstid men det var nysnö, skulle han äntligen reda ut allt med Önde. Ett eller annat måste ändå avslutas. Han hade lovat Avar att han skulle hålla ögonen på Önde.

Önde var inte bara Önde. Han var oredan och förvirringen. Han var stigarna som växte igen och vattnet som blivit gult och tiden som fallit sönder, han var sjukdomen som ännu var verksam i Kadis. Han var djävulen själv.

Ädla var inte hemma, hon hade gått till Bera och tagit med sig barnet som för Könik var utan namn. Önde satt på Avars gamla stol som Köniks far hade yxat till ur en väldig granstam.

Penningarna som du tog efter Olavus handelsmannen, sade Könik, var har du dem nu.

Det skrapplet, sade Önde. Om jag ens kommer ihåg det.

Det är inte ditt, sade Könik.

Jag tog bara hand om det, sade Önde. Någon var ändå tvungen.

Vi måste skapa ordning efter honom Olavus, sade Könik. Vi måste slänga penningarna i älven.

Om jag inte hade varit god mot honom och tagit mig an honom, sade Önde, då hade han aldrig dött här i Kadis.

Vi måste skapa ordning i allting, sade Könik.

Hela Kadis, sade han, håller på att smulas sönder som en lerklump då man knackar på den.

Ordningen, sade Önde, honom kan man inte göra. Inte som en pall eller ett bord. Ordningen, han gör sig själv.

Då jag skulle skära den där djävulen till kapellet, sade Könik, då vart han lik dig hur jag än bar mig åt.

Jo, sade Önde. Där ser du.

Du sätter ditt märke på allting, sade Könik. På husen och slädarna och stolpbodarna.

Det är så lätt gjort, sade Önde. Jag övar mig. Handen och kniven gör det hur jag än bär mig åt.

Han drog upp kniven ur slidan som han hade hängande mot låret och strök med tummen över eggen.

Och du gömmer undan och gräver ner, sade Könik.

Då finns det åtminstone kvar, sade Önde.

Du lägger hela Kadis under dig och förskingrar det, sade Könik. Om det fanns någon rätt, då vore vi nödgade att hänga dig.

Jo, sade Önde och skärskådade kniven. Det kan nog vara sant.

Jag vill inte leva mer, sade Könik, om vi inte en vacker dag får hänga dig.

Nu svarade Önde ingenting. Och Könik skrek: Var har du grävt ner silvret, din djävul.

Nog vet du det, sade Önde. Du känner mig så väl att du inte behöver fråga. Och bara silvret är det inte.

Då vräkte Könik undan Ädlas bädd och ställde sig på knä och började gräva, han grävde med bägge händerna och slängde jorden vilt omkring sig, Önde kröp ihop för att skydda ögonen. Snart fann Könik också vad han sökte, det var en grund grop som då man gravar fisken, ja han fann inte bara vad han sökte utan mycket mera. Det var skinnpåsar och sådant som var invirat i tygbitar och det var en torkad våm fylld med någonting och två små träskrin som Könik kände igen, han hade gjort dem åt Avar. Nej sannerligen, det var inte bara silvret. Allt som Avar hade haft låg där i gropen och även allting annat som Önde kunnat leta upp och som kunde ha tillhört vem som helst, allt som de stackars döda förmått samla och som Könik aldrig hade vetat fanns. Det var dödsboet efter hela Kadis.

Men Könik var inte ens karl att röra vid det, händerna knöt sig av sendrag då han försökte.

Så han reste sig upp och tog fram kniven som han hade haft under blusen. Och så förvirrad var han att han ropade Jag ska strypa dig, trots att det var alldeles tydligt att han tänkte använda kniven.

Önde satt helt stilla och såg på honom som om det inte angick honom vad Könik i sin upphetsning tog sig till. Men sedan vände han hastigt kniven i sin hand och slängde fast den i väggen bakom sig, kniven var antingen ett hinder eller en frestelse för honom, och han gjorde tre kvicka språng och var förbi Könik och ute genom dörröppningen innan någon av dem hann fatta vad som skedde. Ner mot älven rusade han och sedan följde han stranden uppöver, och Könik var tio steg efter honom, de sprang bägge för livet. De tänkte ingenting, de for helt enkelt bara fram, slumpen och oredan före och ordningen och rätten efter, och då de kom upp mot det första selet vände de in mot skogen, upp över bergssidan.

Otaliga gånger hade de kapplöpt, de var jämgoda, de tio stegen förblev tio även om Önde ibland gjorde tvära kast som en kanin och Könik försökte gina och finna kortare väg runt någon sten eller trädstam eller förbi något vattenhål. Det gjorde heller ingen skillnad att en av dem var tomhänt och den andre hade en kniv med långt blad i handen. Det var egentligen inte Köniks kniv utan en av Yvars, även det var vidrigt för Könik, Yvar hade brukat ha den då han späntade tändveden, han hade fått den av Önde.

Ett gott stycke längs stranden således och sedan genom riset och uppöver sluttningen på allmänningen. Ingen av dem grubblade över var de fick sina krafter och uthålligheten ifrån och hur andedräkten kunde räcka till, det var inte tid till något grubbel, ingen av dem kunde välja att göra något annat än denna ohyggliga löpning.

Men varifrån krafterna än kom så började de till sist ändå att sina och andedräkten tröt. Då var de långt uppe i vildmarken.

Det var Önde som slutligen stannade, de hade kommit ut på en slänt där stormen fällt all skogen, han tvärstannade och vände sig om och Könik kunde inte hejda sig, han störtade över Önde och vräkte omkull honom så att de handlöst kastades ner på den nakna jorden under en rotvälta, i fallet klamrade de sig så hårt fast vid varandra att de knappast kunde röra armarna och benen när sedan själva brottningen började. Önde slog axeln i en sten och en avbruten rot rev upp ett stort sår på Köniks kind.

Könik hade ju fortfarande kniven, men så hårt sammanslingrade som de var betydde det föga vem som hade den, kniven blev en tredje part som deltog i kampen, ibland högg den Önde, ibland Könik.

Det var med brottningen som med löpningen, sedan barndomen hade de brottats otaliga gånger, de var jämgoda, utgången berodde på vem som råkade få det bästa taget och vem som för stunden var listigast i händer och fötter. Önde var kanske starkare och kvickare men Könik hade mera envishet och mera rädsla, Önde kunde ibland lägga sig platt på rygg bara för att göra Könik en glädje. De hade inte fått hämta andan efter löpningen och nu pressade de varandras bröstkorgar tomma, de hade inte ens luft nog att stöna eller kvida, och allt de åstadkom med fingrarna och skallarna och fötterna var att de fastnade i varandra så att till sist alla försök till nya grepp blev lönlösa. Längst förblev kniven i rörelse, den högg mot deras armar och lår men skonade struparna. Slutligen mattades också fingrarna och underbenen och nackarna och kniven föll ner på jorden och Önde och Könik somnade i varandras armar.

Då Önde vaknade var solen redan över middagen. Han gjorde sig fri från Könik, de hade inte släppt sina grepp i sömnen och det tog honom en god stund att skilja sina armar och ben från Köniks. Han var övertäckt av sår men blodet hade stannat. Och han kunde röra alla lemmar. När han sedan granskade Könik såg han att kniven hade huggit bort hans högra öra.

Men inte heller Könik blödde, det var kylan. Och han försökte väcka honom, i dag hade Könik inte kraft att än en gång försöka dräpa honom. Men Könik lät sig inte väckas. Han sov som efter ett duktigt dagsverke, han till och med snarkade.

Så Önde lyfte upp honom på axlarna och började gå hemöver.

Det sved i såren, benen var ännu stela efter löpningen och brottningen, nysnön var lömsk under fötterna. Han gick sakta för att spara krafterna och han gick så fort han förmådde för att hinna hem till Kadis före kvällen.

Då han kom ner till älven hade det börjat skymma. Och nu vaknade Könik. I sömnen hade han sett en karl som bar en sargad killing på axlarna. Och

194

han kände genast och förstod att det var han själv som var killingen. Men han kunde inte förmå sig att säga till Önde att han hade vaknat.

Öndes steg var vedervärdigt trötta och tunga, då och då vacklade han. Dessa Öndes steg var de tyngsta dittills i Köniks liv.

Med foten öppnade Önde dörren till Köniks hus, därinne hade Eira eld, och han lade försiktigt ner Könik på bädden.

Vi var åt skogen, sade han till Eira, och vi träffade på en främling som hade kniven och han försökte riktigt dräpa oss.

Och han såg på Könik och upptäckte att han hade gråtit, att tårarna hade tvättat bort allt blodet ur hans ansikte, och han begrep att Könik länge hade varit vaken. Då skrattade han stort fast en aning utmattat, han skrattade åt sig själv som hade burit och åt Könik som för skams skull inte orkat avstå från att bli buren.

Men Eira begrep genast att det inte var någon främling de hade mött utan varandra.

I värmen därinne började Köniks sår blöda igen, ur Önde rann blodet redan när de kom, och Eira tvingade ner Önde på bädden bredvid Könik, det var hennes egen plats, hon tog kallvatten och tvättade dem och rev sönder två av Köniks gamla kjortlar och band om såren, sedan byxorna kom till Kadis

nyttjade han aldrig kjortlarna. Mot såret efter örat
lade hon ett kaninskinn för att det skulle vara mjukt.

När Ädla kom hem med Maria och fann den förfärli-
ga oreda som Könik åstadkommit blev hon stående
en stund i tankar. Sedan grävde hon med händerna
tillbaka jorden över påsarna och skinnen och den
torkade våmmen och ordnade sin bädd igen. Det
måste väl ändå vara så det var tänkt.

Då Önde hade blivit omskött steg han upp och
gick hem till Ädla. Trots att han ju egentligen inte
hade någon glädje av henne.

Och för att styrka Öndes berättelse sade Könik till
Eira: Den där främlingen som vi träffade på då vi var
åt skogen hade skurit bort allt skägget och han var
huvudet högre än någon karl jag förut sett och han
hade ett stickat band med silvertrådar över pannan
och håret.

Nu hade alltså Eira tre stackare att sköta, tre her-
rar tänkte hon själv, hon skulle hålla dem rena och
jollra med dem och ge dem maten och hon skulle in-
gjuta sitt levnadsmod i dem, inför vem som helst av
dem kunde hon utan att veta varför få tårar i ögo-
nen, Könik och Kare och Blasius.

Medan såren läktes låg Könik i bädden, de tider han hade ljus såg han på Kare. Eira hade byggt under hans huvud med en gethud som hon stoppat med halm och mjukt hö, Kare låg i vaggan som Könik hade snickrat åt honom innan han föddes, om Könik vred huvudet så att han låg på det örat som han hade kvar såg han sonen. Och då hörde han inte att Kare skrek om Eira någon gång dröjde för länge hos kon eller hos Blasius.

Önde kom någon stund och satt hos honom, hans sår var snart läkta och han hade ju inte mist någon kroppsdel och Ädla tyckte sig inte ha någon orsak att vårda honom, men de sade aldrig något till varandra Önde och Könik. Det var som om de fått nästan allting sagt den där gången de löpte till skogs.

Och Bera kom. Hon höll inte längre handen för munnen då hon pratade och hon hade rett ut sitt hår och flätat det, hon skulle föda ett barn åt Borne. Könik hade aldrig förut hört henne skratta, nu skrattade hon ofta och det var inte något bräkande som Könik hade tänkt sig, nej hon skrattade lätt och klingande, och hon var ständigt sysselsatt med barnet som hon skulle föda, hon sömmade kläder åt det och hon proppade sig full med all mat hon kom över för att det inte skulle behöva hungra och hon talade om det, hennes barn skulle bli som än den ene än den andre av dem som förut levat i Kadis, barnet skulle på ett besynnerligt sätt likna den eller den och på ett annat märkvärdigt vis likna den eller den, ja hon tycktes vara tacksam mot den stora sjukdomen som tagit alla de tidigare människorna så att deras egenskaper blev tillgängliga för den ofödde. I det gamla Kadis hade hon levat ensam med sina getter, det nya Kadis hade skänkt henne Borne och en fruktsamhet som inte bara visade sig i hennes kved utan också i hennes kålland och hos de kaniner som hon tagit till sig och hos getterna som mjölkade mångdubbelt mot förr och i hennes tal där orden födde varandra med sådan hast att hon inte själv hann höra och förstå dem alla.

Och Borne kom till Könik, han ville se örat.

Vilket öra, sade Könik.

Det som du miste.

Det vart kvar i skogen, sade Könik.

Att ta ett öra, sade Borne, det är inte så lätt som man kan tro.

Ingenting är så enkelt som tanken framställer det, sade Könik. Tanken är en skrävlare och storljugare.

Man måste hugga snett uppifrån, sade Borne. Och ett enda snitt. Man ska inte hålla på och hacka och skära.

Alla som verkligen kunde något särskilt är borta, sade Könik. De som visste sådant som ingen annan vet.

Man ska hugga till mot benet, sade Borne. Och akta kinden. Och man måste göra en tvär knyck med kniven, annars blir det kvar av brosket.

Och Könik måste linda bort tyget och den där lappen av kaninskinn så att Borne fick se.

Jo, sade Borne, det är riktigt välgjort. Han är märkvärdig Önde, han går i land med vad som helst.

Önde hade således berättat allt för Borne.

Det var inte Önde, sade Könik. Kniven gjorde det själv.

Jo, sade Borne. Det är just det som är konsten.

Men hörseln är kvar, sade Könik. Jag skulle gärna avvara både hörseln och synen.

Ögonen kom aldrig på fråga, sade Borne. Jag har hört talas om det. Men aldrig här i Kadis.

Och Könik lade tillbaka kaninskinnslappen och Borne hjälpte honom med bindorna.

Och inte hade det blött just någonting, sade Borne. Jag måste ändå höra mig för hos Önde.

Det var medan Könik låg där som han på allvar började älska Kare.

Han liknade Eira. De kinderna och den hakan med en liten grop och de ögonen och den överläppen som var aningen lång och den där trubbiga näsan. Och huden var skär och skimrande som snåtterblommen eller som en nyflådd kaninkropp. Han om någon borde ha varit självlysande. Ofta kluckade han av lycka, ja det kvillrade någon sorts salighet ur honom rakt ut i tomma intet. Och han var alldeles hjälplös, han låg och viftade med armarna och benen som ett tecken på sin vanmakt. För att icke tala om hur oskyldig han var, syndfri, han hade inte rubbat ett enda föremål från dess rätta plats, han hade inte sagt ett ord som kunde ha orätt betydelse, han hade aldrig tänkt en tanke som kunde föra honom själv eller någon annan på orätta vägar.

Men i pannan och ner på näsryggen hade han det där djupa vecket, det var han född med, det hade han ärvt. Och snart skulle han börja tänka och tala och rubba föremål från deras rätta plats. Sedan skulle världen börja splittras och lösas upp runt omkring honom. Han skulle ju leva här i Kadis. Även om han lärde sig att hantera verktygen så skulle mycket mera krossas och förintas än det som han förmådde hyvla till och foga samman och bygga upp. Undergångens rörelser är raskare än skapelsens, han skulle tvingas att leva i sönderfallet, ja sannolikt skulle han bidra till det. Sådant var nu Kadis.

Det hade varit bättre om ingen avlat honom, om ingen hade uppväckt Eira ur förlamningen och i yrsel och förvirring och med tillfälligt utslätat ansikte frambragt honom, det hade varit bättre för honom att han hade fått kvävas inne i Eira innan han föddes, det vore bättre att han finge dö.

Ja, Könik låg där och såg på Kare och dyrkade honom så att ögonen svullnade och blev röda och variga, Eira hämtade surnat öl hos Ädla och smorde på dem.

Ölet var från Avars tid, Ädla tog ibland en slurk om kvällarna för att få sova, hon kunde inte förlika sig med att ha Önde i huset. Och Maria flickan skrek ofta om nätterna.

Men ölet hjälpte varken mot Önde eller sömnlösheten.

Första gången Könik reste sig ur bädden var en förmiddag, det var kallt och han borde göra något åt elden, Eira var ute hos Blasius. Han var stel och styv, bara genom att befalla över en kroppsdel i sänder tog han sig upp. Först då han var framme vid Kares vagga hade han slutgiltigt rest sig upp och stod på benen, de första stegen var vacklande. Och det föll sig så att han inte gick fram till eldpallen utan böjde sig ner och lade händerna på Kares bröst, Kare sov. Sedan strök han honom över den lilla eländiga bröstkorgen och lade handflatorna på hans axlar eller det som var tänkt att bli hans axlar. Och han lyfte tummarna och förde samman händerna så att halsen hamnade mellan pekfingren och de krökta tummarna, det är ovisst vad händerna var i färd med.

Men Kare vaknade och började skrika liksom i dödsångest, vilt och barnsligt.

Just då kom Önde förbi, han hade en ost åt Blasius, det var en ost som han velat göra åt Ädla men det hade blivit mask i den. Och Önde slängde osten i snön, skriket var förfärligt för att komma från ett så litet barn, och han stötte upp dörren och vräkte sig in i huset, det var som om han varit beredd på det där skriket eller något liknande, och Önde kastade sig på Köniks rygg och grep tag i hans armar, han trädde in händerna under Köniks armbågar och förde ihop dem så att Könik tvangs att släppa det där mångtydiga greppet om Kares hals och blev som bakbunden i Öndes famn.

Så stod de än en gång sammanknutna när Eira

kom tillbaka från Blasius. Hon blev stående alldeles stilla i dörröppningen, hon sade ingenting men Önde såg att hennes ögon sökte kniven.

Nej, sade han, vi har inte kniven.

Och han tillade: Du behöver inte vara rädd, jag har honom.

Då kom hon in till dem.

Könik, sade hon. Könik.

Men han svarade inte.

Du ska hämta Borne, sade Önde. Gå fort till Bera och hämta Borne.

Eira gick fram till vaggan och synade Kare. Sedan sade hon: Han har inte gjort någonting. Och jag sköter honom.

Men han är farlig, sade Önde. Han är farlig för hela Kadis.

Jag går inte, sade Eira.

Jag släpper honom aldrig, sade Önde. Så det är lika bra att du går.

Utom Könik, sade Eira, finns ingen rättfärdig och felfri människa.

Könik stönade av ansträngningen att göra sig fri ur Öndes armar, Önde stönade av ansträngningen att hålla honom fast.

Det är ohjälpligt, pustade Önde. Och ofrån-komligt.

Du brukar säga, sade Eira, att ingenting kan vara

ofrånkomligt.

Du får inte fästa dig vid enstaka uttryck, nästan skrek Önde. Ofrånkomligt är ju bara ett ord.

Det ligger en ost härute i snön, sade Eira.

Blasius ska ha den, stönade Önde.

Nej, sade Eira än en gång. Jag går inte.

Men då avgjorde Könik alltsammans.

Gå nu, sade han flämtande till Eira, det är rätt, det är det enda rätta, hämta Borne.

Då gick Eira till Bera och hämtade Borne.

Och Önde och Borne släpade Könik till huset som hette kistan, Borne höll benen och Önde armarna, det var tungt och svårt för Könik kämpade hela tiden och ville slå sig fri, och de kastade in honom på jordgolvet, där låg en stapel av fårskinnsfällar, Önde hade burit dit dem alldeles som om han förutsett att någon snart skulle behöva hålla sig varm därinne. Borne lade den ohyggliga bommen mot dörren och tryckte ner den i klykorna.

Och vad skulle Eira göra.

Hon tog upp Kare ur vaggan och gav honom bröstet, sedan satt hon länge och bara höll honom i famnen, Könik hade en gång sagt att han skulle försöka tälja en bild där hon satt just på det sättet. Om hon hade kunnat någon bön skulle hon ha sagt den.

Hon viskade till Kare att han inte fick ängslas, snart skulle Könik vara hos dem igen. Hon tryckte

204

honom intill sig som om hon hade varit tvungen att hålla honom fast. Hon böjde sig fram och kurade ihop sig över honom som om hon velat stänga in honom i moderlivet igen.

Men till slut lade hon ändå ifrån sig Kare och gick ut och tog den där osten som Önde hade kastat ifrån sig och gick med den till Blasius, den var så stor och tung att hon fick använda bägge händerna. Men för Blasius var osten en småsak, han slängde upp den på hjässan och lät den studsa upp och ner på pannbenet nedom ögonen och lät den rulla ner på trynet där han höll den i jämvikt med små knyckar av skallen, slutligen satte han sig på skinkorna och höll osten i gapet. Han var alltid sådan, aldrig brydde han sig om att skilja mellan gyckel och allvar. Så Eira var tvungen att klappa i händerna och ropa åt honom och säga hur duktig han var, annars hade han knappast kommit sig för med att äta upp osten.

Där rätten finns, där är vattnet vitt
i vattenrännan.

Könik slet själv bort bindorna från armarna och benen och huvudet, såren var läkta. Det fanns ingen eldstad därinne, allt som fanns var fällarna, han hade fem över sig och fem under sig. Trots mörkret var allt mycket klart och överskådligt. I väggen var en glugg som var stor nog för en näve eller en träskål eller ett bröd, dit kom Eira med maten.

Han visste inte hur länge han skulle vara där, ingen visste det, ingen visste ens säkert vad han hade gjort, det fanns ingen som kunde döma honom. Han hade blivit satt i kistan för säkerhets skull, av en klok tillfällighet, som en försiktighetsåtgärd på måfå eller av våda. Borne kom var dag och synade väggarna och dörren, nu hade han en karl att vakta. När Könik första gången vaknade efter att ha sovit en stund visste han inte mer hur länge han hade varit där.

Ingen kände villkoren som måste uppfyllas för att han skulle släppas ut. För tillfället hade man honom där och det sades aldrig ett ord om dagen och stunden då han skulle komma ut igen, Önde och Borne hade blivit tvungna att spärra in honom, så var det. Undantagandes stunderna då han åt låg han inne i stapeln av fårskinnsfällar.

En gång sade Önde till Borne: Om vi inte hade stängt in honom, då hade vi aldrig behövt bekymra oss om att ge honom fri.

Vad de andra gjorde medan Könik var i kistan har ingen betydelse, de tyckte inte själva att det hade någon betydelse. De gjorde allt som var nödvändigt. Också Eira, hon mjölkade och lagade mat och gick med dryckeskaggar och spannar och skålar och tröst mellan sina tre stackare, Kare, Blasius och Könik. Vem kunde tro att hon nyss eller möjligen för ganska länge sedan hade legat lam.

Men hon gick under den här tiden inte till Ädla och Bera och de gick inte till henne. Det var ju ändå så att hennes Könik först hade försökt dräpa Önde och sedan Kare.

Könik talade inte med Eira. Jo, en gång: han bad henne om ett stycke trä och den lilla täljkniven.

Men hon berättade för honom allt som skedde

210

ute i världen: Kares tänder och hans första ord, hon hade hört sägas att Bera hade fött en son, en kaningubbe hade tagit Köniks plats i bädden, hon hade hängt en koskälla på Blasius.

Ja, ända hit hördes det hur Blasius ringde med skällan.

Och att snön smälte och försvann.

Ingen vet vad Könik tänkte. Men en dag när året var så långt kommet att han inte längre behövde fårskinnsfällarna och när häggen var på väg att slå ut, kanske kände han lukten, då hade han tydligen tänkt färdigt för han sade till Eira att hämta de andra, allt folket i Kadis. Och när de hade kommit talade han till dem genom gluggen:

Jag gläder mig åt att ni har kommit hit och vill höra på mig. Det är inte mycket jag har att säga men det lilla jag har att framlägga, det kommer från hjärtat. Ingenting har egentligen hänt här i Kadis. Ingenting är trasigt och ingenting saknas. Några människor dog för en tid sedan, ovisst när, och vi har begravt dem och det är allt. Vi är lagom många, våra djur är nu lagom många och de flesta av dem är lagom feta och vi har lagom mycket mat för vår hunger, allting är lägligt och passande, ja visa mig ett enda förhållande som inte är lagom. Livet går sin gilla gång. Det råder ordning och reda. Vem som vill äger vad han vill och ingen gör sig någonsin skyldig till någonting. Kadis ligger inne i en skröna som någon håller på att tälja, ovisst vem, och det är den mest välordnade och prydliga och harmlösa lilla skröna som tänkas kan. Och det är fullkomligt rätt och riktigt att jag sitter här. Det är min önskan att ni aldrig släpper ut mig härifrån. Det är allt.

Inte ord för ord så men ändå i huvudsak detta sade Könik genom gluggen.

Och en karl som talade så kunde man ju inte hålla inspärrad.

Så Borne lyfte undan bommen och låste upp dörren så att Könik fick komma ut.

Han gick med små korta steg och han rörde knappast på huvudet och ansiktet var alldeles stilla och han var luden av fårull och i handen hade han den där lilla träbiten som han hade skurit till.

Och alla gladde sig åt träbiten, bilden som han hade täljt på lediga stunder och i det smala ljuset från gluggen, den kunde de uppmärksamma i stället för Könik, tack vare träbiten undvek de en viss förlägenhet som annars hade varit passande och rimlig.

Även Eira beundrade det där trästycket som var en aning mindre än hennes handflata. Och hon var den enda som säkert såg vad det föreställde.

Det föreställde Kare. Men inte Kare spädbarnet, nej Kare som han så småningom skulle komma att se ut, sådan som han nödvändigt och självklart skulle

212

vara om något år. Visserligen var han fortfarande bara ett barn, men håret var avskuret vid öronen och ögonen var en aning ihopknipna och vecket ner-över pannan hade djupnat, det gav ett nästan smärt-samt allvar åt ansiktet, och Borne sade:

Vem det kan föreställa.

Det är någon sorts ängel, sade Ädla.

Jag tror jag har sett honom förr, sade Önde.

Han kunde ju inte veta att han såg en människa som han än inte hade sett, ja som ingen av dem kan-ske någonsin skulle se, så ovisst var allt.

Jaspar kommer att se ut nästan så, sade Bera. Jas-par var nu barnet som hon hade fött åt Borne.

Men Könik sade ingenting, han följde Eira hemöver.

Han gick verkligen med ohyggligt korta steg, han som förr hade tagit så långa och säkra kliv. Och han höll armarna stilla utefter sidorna, han rörde inte ens händerna. Och när de blev ensamma så att han äntligen kunde säga något, då öppnade han knap-past läpparna och han snarare viskade än pratade.

Är det bra med Kare, sade han.

Jo, han ligger och sover.

Och allt är som det ska vara med Blasius.

Jo, han ska få maten då vi kommer hem.

Och de hörde koskällan som Blasius hade om hal-sen och som han använde för att kalla på Eira.

Könik rörde inte ansiktet, hon såg på honom men han log inte och han hade inte heller några förtvivlade rynkor, bortsett från vecket förstås, båda ansiktshalvorna var lika stela och släta. En aning kutryggig tycktes han också ha blivit, kanske av att sitta hopkurad och tälja Kare.

Hon hade en soppa på krossat korn och en kanin över elden. De åt.

Han åt försiktigt som ett barn som fruktar att bränna sig på maten eller som inte vill spilla eller som äter endast av plikt. Han vidrörde inte bordet med armbågarna eller fingrarna, han satt ytterst på kanten av pallen som om han genast skulle resa sig igen, han rörde inte vid Eira, han lutade sig inte ner över Kare för att kyssa honom och lukta på honom.

Något hade skett med honom som Eira dunkelt kände igen, eller rättare sagt: han hade låtit något ske med sig, och hon kände inte bara igen det vagt och svävande, hon förstod det.

Han hade inte förlamat sig, nej så långt hade han inte mäktat sträcka sig, men han hade inskränkt sig och krökt sig in i sig själv och minskat all sin hastighet så att man kunde tro att blodet höll på att levra sig i hans kropp. Så skulle han aldrig röra ett föremål från dess rätta plats, ingenting skulle angå honom och han skulle inte angå någon eller någonting, ingenting skulle beröra honom och han skulle aldrig tänka en tanke som kunde förändra någonting.

Hon hade någon gång hört att fåglarna gjorde något liknande då jägaren var efter dem.

Men han trädde en läderrem genom bilden som han skurit av Kare och hängde den om halsen.

Då de gick till sängs om kvällen lade sig Könik vid väggen där han hade legat då hon var en fågel. Eira hade bäddat åt Kare i lådan som Könik legat i då han var barn, hon ställde den på Köniks sida om eldpallen så att han skulle kunna nå den om han vaknade mitt i natten och hade glömt att han inte fick röra vid någonting. Medan Könik var i kistan hade Kare sovit i hennes bädd. Samma dag om aftonen for Önde uppåt skogen, han skulle se om mörten lekte, han skulle leta fågeläggen, han skulle skära näver, han skulle leta sileshåret som botar gällen mjölk och tar bort vårtor, ja av tusen skäl som han nämnde för Ädla skulle han uppåt skogen, några dagar skulle han vara. Egentligen behövde han inte säga något åt Ädla, hon brydde sig inte om hur han kom och for, hon var nöjd med att ha Maria. Flickan kröp nu omkring i halmen på golvet, hon hade vitt hår och stora förvånade ögon, hon kunde sitta rak och stadig i hänggungan som Könik gjort och hon övade sig oavbrutet på sitt första ord, ett läte som kunde vara antingen far eller Avar, vilket ju var ett och detsamma.

215

Då Eira vaknade nästa morgon var Kare borta. Hon stod en stund och såg ner i hans tomma låda som om hon trodde att ögonen gäckades med henne, sedan tänkte hon: Könik har ändå kommit till sig i natt och blivit tvungen att lyfta upp Kare och lägga honom på sin arm och trycka honom mot bröstet.

Men i Köniks bädd var bara Könik.

Då började hon skrika och slå Könik för att väcka honom, men han sov ofattbart tungt och först när hon slet honom i håret och hamrade med de knutna nävarna på hans bröstkorg slog han upp ögonen.

Kare är borta, ropade hon.

Vad säger du, viskade Könik.

Kare har försvunnit i natt.

Då försökte Könik krypa in under täcket och vända sig mot väggen men hon hindrade honom, hon grep tag i hans axel och skakade honom som för att ytterligare väcka honom. Men han var så vaken som han tordes bli.

Han är nog inte långt borta, sade han.

Han är borta, sade Eira.

Han har gått ut och pissat, sade Könik.

Han kan än inte gå, sade Eira.

Då vet jag inte, sade Könik.

Men nu tog Eira tag i honom så liten hon var och lyfte upp honom så att han blev sittande i bädden och hon slet i honom så att han nästan föll ut på jordgolvet.

Men begriper du inte, skrek hon. Begriper du då inte.

Det kan väl hända, sade han, att jag begriper. Men vad hjälper det.

Men hon fick ändå till slut upp honom ur bädden och han klädde sig. Jovisst, nog skulle han göra ett försök att leta efter Kare, så gott det nu gick att leta i detta oöverskådliga Kadis, hon fick inte tro att han inte sörjde Kare.

Sörjde, sade Eira.

Nej nej, det var inte så han menade, inte att det redan var tid att bära sorg efter honom, hon skulle bara veta att han bekymrade sig minst lika mycket som hon.

Jag ska ha tillbaka honom, sade Eira trotsigt.

Jo, sade Könik. Nog får du tillbaka honom.

Och han gick verkligen hela vägen ner till älvkanten, han tyckte sig se färska spår efter sulor med två sömmar tvärsöver, någon hade halvsprungit med korta steg, men han tittade inte så noga, han vågade inte titta så noga, och nere vid vattnet försvann spåren.

Eira sprang till de andra, till Bera och Ädla, men

ingen hade sett Kare, de var just uppstigna och hade än inte sett ett levande liv, och Önde var åt skogen, om någon skulle ha kunnat veta något eller räkna ut något så var det ju Önde.

Då Eira kom hem stod Könik hos Blasius.

Han är som ett Guds under, sade Könik.

Ingen har sett honom och ingen vet någonting, sade Eira, vad ska vi taga oss till.

Och hon grät ju, hon grät hejdlöst.

Han vill nog ha maten, sade Könik.

Då han sade maten skrek Eira till av smärta, hon hade ännu mjölk i brösten. Och det tog en stund innan hon kom till sig såpass att hon kunde säga: Kan det ha varit ett djur.

Nej, sade Könik, då hade det varit blod överallt.

Han böjde sig fram och kliade Blasius under träljen.

Hur kan du stå här, sade Eira så jämmerligt att ingen utom Könik skulle ha kunnat tyda orden. Hur kan du bara stå här.

Vi kan väl koka något åt honom sedan, sade Könik. Men såpass som en skvätt surmjölken kunde du ge honom.

Och det var besynnerligt: Eira torkade ansiktet med baksidan av handen och gick verkligen och hämtade surmjölken åt Blasius.

Sedan kom de andra till dem, de stod i gräset mel-

218

lan snickarboden och huset, och prövade tveksamt sina aningar och farhågor om Kare, Ädla hade sin Maria på armen och Bera hade Jaspar i en korg.

Egentligen var de alla innerst inne överens om vad som hade skett: någon hade stulit Kare, någon som själv behövde honom eller någon som idkade handel. Könik hade ju berättat för dem att detta pågick i världen, barn stals och köptes och såldes som spädgrisar eller skinnbuntar. Och de såg på Könik, han var skuld till den här kunskapen och därmed också till den ängslan och förbittring som de kände, jo Könik var skyldig.

Köniks ansikte var stilla och oberört, skåran i pannan var inte djupare än vanligt, detta var ju det tillstånd som nu rådde i Kadis.

Men du kunde gå åt Ume, sade Bera till Borne. Det är säkert en umebo.

Det var således vad som blev gjort: Borne tog tre kornmjölspaltar och en halv getost i en skinnpåse och gick åt Ume.

De andra hade sysslor som måste göras. Eira skötte också sitt, hon mjölkade och hon kokade maten åt Könik och Blasius och hon låg till och med en god stund i kålsängen och rensade, men hon gjorde det som i sömnen, då och då stannade hon upp och blev alldeles stilla, det ryckte bara och skälvde i hennes ansikte och lemmar.

Det var kväll innan Borne kom tillbaka. Och Bera och Ädla kom.

Jo, det var alldeles riktigt, det hade kommit en karl uppifrån, han hade haft en liten unge som han försökt att sälja. Men den tiden var ju längesedan förbi, nu var det på nytt så att det myllrade av barn på jorden, i Ume kunde han aldrig finna någon köpare, i synnerhet som man inte kunde veta något säkert om barnet, det kunde mycket väl vara behäftat med något allvarligt fel som gjorde det oanvändbart längre fram, nej den här karlen det var någon som levde i det förgångna och som var ovetande och enfaldig, han kunde vara tacksam att de inte tog fast honom i Ume och hängde honom.

Och vad hade då den där karlen gjort med barnet.

Jo, han hade låtit färja sig över älven och dragit iväg söderut, han hade nog varit som snopen. Och när Borne hade fått veta detta då hade han vänt om och gått hem igen, det var ju lönlöst att fortsätta neröver landet, söderut är ju världen utan ände.

Men hur hade den där karlen sett ut.

Nej, det hade Borne inte brytt sig om att fråga, han skulle ju inte söka honom vidare, varför skulle han plåga minnet med att veta något som var otjänligt.

Och barnet.

Jo det var väl ett vanligt barn, ett sådant som Kare,

ingen i Ume hade sagt något om att det skulle ha varit något särskilt med barnet, och det hade ju inte spelat någon roll för det var ingen som frågade efter barn längre.

Men om det hade varit din och Beras Jaspar, sade Eira klagande och uppgivet.

Vem skulle stjäla honom, sade Borne. Det törs ingen för det vet alla att jag skulle gå till världens ände.

Och Könik sade mycket lågt och försiktigt: Det kan vara alldeles hur som helst med allting. Fullkomligt.

Så gick Ädla och Bera och Borne hem till sitt, de sade ingenting, de kände inte till några tröstens ord som kunde vara användbara, de försökte gå så tyst och försiktigt att Eira och Könik inte skulle märka att de försvann.

Men Eira hon grät sedan hela kvällen så att kinderna till slut var täckta av en grå saltskorpa, hon insåg att det skulle dröja innan Kare kom hem till dem igen. Och på något sätt begrät hon inte bara Kare utan även Könik.

Hädanefter var Kare borta varje morgon när hon vaknade. Lådan där han legat fick stå kvar och hon gick dit och grep tag om kanten på den så att hon inte skulle falla och tittade ner men den var tom. Könik vågade aldrig ens se ditåt, antingen fanns Kare eller också fanns han inte. Men han hade kvar bilden som han skurit och som hängde i en rem om halsen. När Eira hade sett att han ännu var borta tänkte hon alltid: Då är det kanske i dag han ska komma hem. Ingen vill köpa honom, till slut ger tjuven upp och återställer honom, han är värdelös och värdefullast på jorden. Tack vare den tanken kunde hon sedan göra allt som måste göras den dagen.

Men hon började gå till Ädla och Bera, hon hade inte något ärende och det var inte för att prata en stund, hon satt bara stilla och såg barnen.

En morgon hade en kaningubbe rett sig ett bo i lådan och Eira såg att något rörde sig. Det var första gången som hon med sina egna händer dräpte en kanin.

Öndes sugga, modersuggan som fött Blasius, blev sjuk vid den här tiden. Alla dagar och tidpunkter i Kadis hette numera vid den här tiden. Genom att säga så kunde man beteckna och handha tiden utan att ge den namn, man ersatte den enskilda och bestämda tiden med en tid i största allmänhet. Inte ens Önde låtsades veta vad dagarna hette. I och för sig hade man väl kunnat låna en tidsindelning från Ume så som man lånar eld av grannen, namn och tal, men vad skulle det ha tjänat till då det nu var som det var med allting annat, man hade helt enkelt ingen användning för någon tideräkning vid den här tiden.

Suggan således, hon åt inte längre som hon skulle, inte ens smöret och grädden, hon låg mest bara stilla på halmen och snarkade. Men hon verkade inte olycklig, nej hon plirade tankspritt och nästan belåtet med ögonen och lyfte då och då upp buken en aning som om hon ville bjuda alla de smågrisar som hon framfött genom åren att återvända till henne och än en gång dia henne. Hennes fläsk sjönk ihop som snön då den tinar, skinnet skrynklades och miste glansen som det gör hos åldringar, skinkorna och bogarna krympte som om de torkats över öppen eld. Och hennes ansikte blev allt mänskligare, hon började likna en gammal gumma som sett släkte efter släkte vandra bort i den farliga världen, rynkig och full av visdom, tänderna hade hon för länge sedan tappat.

Önde vakade hos henne till slutet. Och när hon somnat för alltid drog han henne på en släpa och begravde henne bakom muren ovanför kapellet.

Men innan detta med suggan skedde hade han alltså kommit tillbaka från sin vandring uppåt skogen. Han hade gått långt, Ädla fick genast sätta sig och laga hans byxor som hade brustit i flera sömmar, och skorna hade han fått binda ihop med vidjor. Men han var nästan tomhänt, bara några näverflak och en påse sileshår och några vråkägg att mata

Maria med. Och ett litet stycke ylletyg.

Det var sannerligen inte något märkvärdigt tyg, det var vävt av någon som hade ont om garnet, glest så att man kunde se genom det och grovt och ojämnt. Han hade kommit till ett ensamställe, en gård som dittills varit okänd för hela världen och som nog skulle förbli okänd, för Önde hade redan glömt var den låg, och han hade förbarmat sig över folket där och köpt tyget, han hade råkat ha en silverslant i bältespungen. Och nu var det hans oryggliga beslut att Eira skulle ha tyget.

Men vad ska de med en silverslant i ödemarken, sade Eira.

Silvret, sade Önde, det är ändå det enda som är fast och består.

Jo men ändå, sade Eira.

Allting annat, sade Önde, det har man av nödtvång. Men silvret det har man bara för glädjen.

Då lyfte Könik huvudet och såg på honom, men han sade ingenting och rörde inte en min.

Men varför skulle då Eira ha det där tyget.

Och Önde räknade upp alla skäl han kunde finna.

Hon hade tagit sig an Blasius. Hon hade haft så många bedrövelser. För att nu icke tala om detta med Kare. Hon hade förbundit såren som en galen kniv en gång hade gjort på honom. Hon var så god mot hans och Avars och Ädlas Maria. Hon hade ett sådant tålamod, ja egentligen hade han hellre haft henne än Ädla. Hon tog hand om Könik nu då allting var som det var.

Och för att få ett slut på denna hjärtskärande uppräkning tog Eira äntligen emot tyget. Ibland använde hon det som huvudduk.

Blasius var nu så stor att det inte längre var meningsfullt att fråga sig om han växte mera. Ja han var så jättelik att Eira ibland nattetid drömde om hans väldighet, vedervärdiga drömmar, så att när hon kom ut till honom om morgonen föreföll det henne att han hade krympt. Borne menade att ett svin inte kunde bli större och ändå förbli svin, att vid en viss storlek skulle han upphöra att vara galt och bli något annat och dittills okänt, men Önde var övertygad om att skapelsen inte kände några yttersta gränser.

Det skedde så litet i Kadis att det verkligen var värt att lägga märke till om Blasius fortfor att växa, det var en händelselöshet som inte låter sig fångas i ord. Avars och Ädlas Maria reste sig upp och började gå, men därutöver hände ingenting. Och Bera, som ännu ammade Jaspar, skulle så småningom föda ett barn till åt Borne.

Och Ädla vägrade alltjämt att ställa sig till förfogande för något avlande eller födande åt Önde.

Eira ville ha ett barn i den stulne Kares ställe, nej inte i hans ställe men ett barn som kunde förströ henne medan hon väntade på att Kare skulle komma tillbaka, ett barn i största allmänhet, men Könik nekade. Eller rättare sagt: han kunde inte förmå sig, han hade i så fall varit tvungen att sätta sig själv i rörelse så obehärskat och vådligt att ingen kunde veta vart det kunde föra, han ville ligga ensam i sin bädd vid väggen och han undvek att se på Eira, särskilt då hon tvättade sig eller kammade sig eller gjorde sig redo för natten.

Eira hade någon gång hört att de som mistat förståndet kunde botas. Man skulle slakta ett djur, en katt eller en hund eller vad som fanns till hands, och ta ut inälvorna och sedan trä den varma kroppen över det sjuka huvudet. Och hon försökte, en hel dag gick Könik med den blodiga lilla kroppen fastbunden på hjässan, han såg ut att ha två huvuden, sitt eget och en kaningubbes, två ansikten stelnade i sorg och vanmakt. Det hände ingenting, han fick skavsår i pannan och då han kröp ner i bädden om kvällen föll kaninen av honom. Men både Eira och

Könik begrep att han aldrig skulle ha funnit sig i en sådan sällsam behandling om han haft sitt förnuft i behåll.

Vissa nätter kom ett väsen och ställde sig grensle över honom och red honom så att han miste andan.

Så gick det en vinter och det blev vår igen, snön smälte alltid tidigt i Kadis eftersom det var sydslutt-ning. Och de sådde kornet. Och även rovorna och kålen. De använde bara den bästa jorden, videt väx-te redan på de stenigaste och sist brutna åkerlappar-na. Även Könik ristade ett par tegar och sådde, men Eira måste hela tiden vara hos honom och påminna honom om vad han skulle göra, annars blev han bara stående med hängande armar och halvslutna ögon.

Så en förmiddag kom det en främling. Könik stod mitt mellan huset och snickarboden, han brukade ofta stå där som om han var på väg åt antingen det ena eller det andra hållet, i verkligheten var han ju inte på väg någonstans. Karlen kom samma väg som Olavus handelsmannen en gång hade kommit, han hade gått förbi Beras hus utan att gå in där, det var ju omöjligt för honom att veta var det kunde finnas en människa bland alla dessa tomma hus. Han hade sett Könik.

Han gjorde sig ingen brådska, han skärskådade husen och vedkastarna och ställningarna där de hade brukat torka näten, det sprang två kaniner framför fötterna på honom, då han kom fram till Könik tog han av sig ryggsäcken.

Och han frågade om nu detta var Kadis. Han läspade kraftigt, det gjorde hans tal långsamt, ja nästan högtidligt.

Jo, sade Könik. Här låg Kadis.

Han hade inget skägg, han var huvudet högre än någon karl Könik dittills hade sett och han hade ett stickat band med silvertrådar över pannan och håret.

Då är allting som det ska vara, sade han.

Könik sade ingenting, något orimligare hade han aldrig hört, att allting var som det skulle vara.

Jag är törstig, sade han också.

Du borde gå till Önde, sade Könik. Vi brukar skicka alla till Önde.

Har du inte ens vatten, sade främlingen.

Nu kom Eira ut, hon hade hört rösterna, hon hade ärmarna uppkavlade och kjorteln upphissad för hon stod vid vattensån och rensade fisk som Önde hade kommit med.

Vi har mjölken, sade hon. Och drickan.

Då gick karlen förbi Könik och in i huset. Och Eira hällde upp mjölken åt honom.

Det är sällan vi ser något folk här i Kadis, sade hon.

Det var hennes sätt att fråga: Vad är du för karl och har du något ärende.

Könik hade följt efter dem men stannat i dörröppningen, han höll handen över örat som han hade mist.

Vi måste skicka honom till Önde, sade han.

Han är törstig, sade Eira. Och han vill sitta en stund. Han kan ju ha traskat och gått i evigheter.

När han hade druckit upp mjölken ville han tala om för dem vem han var. Han hette Nils. Men när det behövdes kunde han heta Nikolavus.

De som kommer främmande hit brukar gå till Önde, sade Könik. Vi skickar dem dit.

Men främlingen hörde inte på Könik. Det var sannerligen inte någon tillfällighet att han hamnat i Kadis, han hade inte gått i blindo och råkat vilse, nej han hade ett kungligt ärende, han var utsänd.

Då blev Eira som återgått till fiskrensningen alldeles stilla och Köniks hand föll ner från örat och blev hängande mot bröstet.

Varken Eira eller Könik kunde komma ihåg när de senast tänkte ordet konung, de hade alldeles glömt att det fanns eller kunde finnas en konung, någon gång för ohyggligt länge sedan hade Kadis brukat betala skatt till konungen.

Jo, konungen själv hade sänt honom och han nämnde till och med konungen vid namn, han hade

230

sänt honom norrut som spanare och besiktnings-
man, han Nils skulle lägga på minnet allt han såg av
bebyggelse och människor, han skulle fortsätta upp-
åt landet ända tills han stod inför det tomma intet.

Då är du framme, sade Könik.

Det var ju så att något som benämndes den stora
sjukdomen hade gått som en hyvel över jorden, här
och var hade folket skrapats bort alldeles, somligstä-
des hade icke ett hår blivit krökt, ja det fanns orter
dit sjukdomen inte ens hade trängt i ordets eller be-
rättelsens form, och konungen måste nu få veta vad
han ännu ägde av människor. Därför hade han sänt
ut honom Nils. Så var det.

Du är en konungens man, sade Könik, och han
viskade inte utan talade mycket tydligt och nästan
ivrigt.

Du säger det själv, sade Nils främlingen.

Då kom Könik fram och satte sig på pallen mitt-
emot honom, han stödde armbågarna mot knäna
och såg på honom.

Konungen, sade Könik, han skickar väl inte vem
som helst.

Och nu talade Nils om att han sannerligen inte
var vem som helst. I flera år hade han tjänat kronan.
Nå, tjänat var väl inte det bästa ordet: han hade in-
gått i den, det var nu så att tjänandet i det fallet ofta
var liktydigt med att vara herre, det finns ju bara en

konung medan folkets behov av konungslighet är omättligt, därför fick den som tjänade kronan ofta helt enkelt träda i kronans ställe, han fick ikläda sig en inre och osynlig krona och styra och bringa ordning och döma när orätten och oredan och redlösheten hade tagit överhanden, fördenskull var också kronans tjänare utvalda med stor omsorg. För egen del hade han studerat rätten och den sanna tron och läran om folk och konungar i de största städerna i världen, i städer som kunde heta sådant som Köln och Paris och Bologna, i städer som kunde ha vilka besynnerliga namn som helst, och han hade övat sig i allt detta som kanske kunde kallas kronans konster hos främmande herrar utomlands, att han nu befann sig i Kadis ville han själv gärna betrakta som en något skrattretande tillfällighet.

Och han skrattade också till, kort och liksom hackande.

Sedan blev det alldeles tyst.

Men Eira såg på Könik, det skedde något med hans ansikte. Och han böjde sig fram mot denne Nils som om han ville förvissa sig om att han inte bara var en synvilla, som om han försökte känna hans lukt. Till slut sade hon: Det är till Önde du ska gå.

Vad som försiggick i Köniks ansikte var att den där skåran fördjupades och mörknade, den blev en brant klyfta mellan de två hälfterna av hans panna. Och hans kinder och läppar och ögon var inte stilla och orörliga längre, den ena ansiktshalvan skälvde av grämelse och misströstan, den andra var klar och slät, ja nästan blank av hopp och förväntan. Eira blev märkvärdigt orolig och beklämd när hon såg vad som höll på att ske med honom, hon hade vant sig vid att han skulle vara stelnad och domnad, och hon upprepade: Egentligen är det till Önde du måste gå.

Men Könik sade: Önde. Nej, han har ingenting med det här att göra.

Vem är Önde, sade Nils.

Då teg både Eira och Könik, det var en fråga som de aldrig förut grubblat över.

Det hade således kommit en människa som i grunden visste hur allting skulle vara, som kände till det självklara och givna, som kunde skilja vrångt från tillbörligt.

Du har verkligen suttit till doms, sade Könik misstroget och förväntansfullt.

Över folk och fä och över löst och fast, sade denne Nils.

Det är inte konungen som har sänt dig, sade Könik. Det är Gud.

Nu såg Nils på Könik mera granskande än förut, blicken stannade vid örat som fattades.

Jag ska bara räkna er, sade han misstänksamt. Ingenting annat.

Men allt som Könik låtit sjunka ner i mörkret djupast inom sig, allt som han försökt att torka in i sitt kött, det steg nu upp i honom, oredan och förvirringen och orätten, det fyllde ut hans bröstkorg så att han tvangs räta upp sig och lägga armarna bakom ryggen.

Först av allt var han tvungen att tala om hur det var med örat.

Det här örat, sade han, det är icke mitt eget fel. Det var en kniv som slapp lös en gång. Kniven gjorde det på egen hand.

Och han som hette Nils sade ingenting, han hade hört många öronlösa män förklara sig.

Men sedan var det nödvändigt för Könik att utsäga det allra svåraste, förvirringen som gjorde livet omöjligt att leva, oredan och dunklet som de alla behövde frälsas ur.

Vi har ett svin, sade han. Det är en galt och han är orimligt stor. Om allting är som det ska vara, då kan ett svin aldrig uppnå den storleken.

Då Eira hade rensat fisken lade hon ner den i kitteln och hällde på två skopor vatten och blåste liv i glöden.

Ett svin, sade Nils.

Jo. Ett svin. Han heter Blasius.

Blasius, sade Nils, var en helig biskop som flydde undan sina förföljare till en grotta, vargarna och rävarna och kaninerna bar i hemlighet mat till honom, när förföljarna fann honom och dräpte honom förvandlades sjön dit de släpat honom till fast mark, han botar hosta och halsböld och själanöd.

Om du får se honom, sade Könik, då kommer du att förstå.

Och Nils reste sig verkligen och följde Könik till stian. Där var Blasius, omgiven av kaniner, han var nu lika hög som stängslet. Då de kom satte han sig på skinkorna och lade huvudet på sned och skakade träljen och skällan som han brukade göra då Eira kom med maten.

Där ser du, sade Könik.

Och Nils medgav det: en sådan gris eller överhuvudtaget något liknande hade han aldrig sett. Han önskade att han hade kunnat föra Blasius ner genom landet och ställa honom inför konungen.

En gång, sade Könik, var han till och med självlysande.

Blasius grymtade och viftade åt dem med frambenen, en skrämd kanin försökte gömma sig under lemmen som vilade mot halmen framför honom.

Någon måste ändå till sist förbarma sig över oss och döma om allt detta, sade Könik. Han hade nu tårar i ögonen.

Döma, sade Nils.

Jo, sade Könik. Om ingen dömer över oss och över det som skett med oss, då kommer vi att sjunka allt djupare i orimlighet och förtappelse.

Ni har gott om kaniner här i Kadis, sade Nils avledande.

Men även kaninerna hörde till detta som Könik ville att han skulle få veta och begripa, ja kaninerna avbildade i sina liv det tillstånd som rådde i Kadis, han kunde lika gärna börja sin redogörelse med kaninerna som med något annat.

Kaninerna och sjukdomen och döden. Avar och Ädla. Och Olavus handelsmannen. Ägodelarna som ingen ägde och arvskiftet. Kapellet som var öde och kräken de hade dräpt. Ja, han berättade allt det som här har berättats och ännu mycket mera, han hade ju själv varit där. Och tiden, tideräkningen som var bortglömd, dagarna som kom och gick utan att någon kallade dem vid namn. Det som saknar namn, sade Könik, det finns inte.

I dag är den helige Romualds dag, sade Nils.

Då blev Könik tyst en stund, det skulle han minnas i evighet: den helige Romualds dag.

Men sedan fortsatte han. Ingen visste längre någonting, ingen hade någon kunskap. Om månskäran är som en skål, blir det då torka eller regn. Allt som var värt att veta hade de grävt ner med de döda.

236

Hur binder man om allt ska vara rätt ett nät. Hur väller man järnet. Vad gör man vid sådana som rövar silvret från levande och döda. Och sådana som gör hor med kvigor. För att inte tala om en karl som vill dräpa sin dyraste vän med kniven. Även om vännen är en gravskändare och likplundrare.

Jag vet ingenting, sade Nils, om rätta sättet att binda ett nät.

Och en likplundrare och gravskändare, fortfor Könik, ska han hängas. Och han som tillägnat sig den döde smedens städ och tänger. Och hon som prålar med stulet silver om halsen. Och barn som fäder avlat hos döttrar, ska de leva.

Nils med det silverstrimmiga bandet om håret stod där framför denna oerhörda gris och lyssnade och försökte förstå. Könik hade ett egendomligt sätt att tala, ivrigt och fullt av förväntan men samtidigt gråtande.

Jag inser, sade Nils, att ni här i Kadis har drabbats av en oreda över allt förstånd.

Jo, sade Könik.

Men detta svin, som sannolikt är det ståtligaste i riket, vad har det med saken att skaffa.

Blasius, sade Könik, har på sätt och vis ett svins kropp. Men i verkligheten är han ett tecken och en bild. Han föreställer något utöver sig själv.

Blasius hade lagt sig ner, han brydde sig inte mera

om de där bägge tomhänta karlarna.

Och vad föreställer han, sade Nils.

Den ohejdade måttlösheten, sade Könik. Ett tillstånd utan regler och måttstockar.

Nils hade sett otaliga sällsamheter i städer med de märkvärdigaste namn. Nu betraktade han Blasius, två kaniner hade slagit sig ner på honom, deras näst intill obefintliga tyngd åstadkom mjukt rundade gropar i sidfläsket.

En präst är vad ni skulle behöva, sade han till sist.

Jag berättade det för dig, sade Könik. Vi hade en präst men han dog bland de första.

Ni måste skaffa en ny. Vi får sända bud till biskopen.

Vem ska gå med det budet, sade Könik.

Någon av er.

Ädla måste sköta Maria, sade Könik. Önde behövs hos Ädla. Och han skulle stjäla biskopens heliga guldring. Borne kan man inte skicka i ett sådant ärende. Bera måsta amma Jaspar. Jag kan inte gå, jag mister förståndet av och till. Och Eira måste vara här hemma och vakta mig.

Nu hade Blasius snappat åt sig en av kaninerna, han behövde knappast tugga den. Nils tänkte länge, sedan sade han: Jag ska berätta allt för konungen.

Vad har vi för glädje av det, sade Könik. Att du

238

berättar en befängd och förryckt skröna för konungen.

En skröna, sade Nils.

Jo, sade Könik. För det är ju vad det är.

Om jag endast kunde, sade Nils, så skulle jag hjälpa er.

Du har själv sagt, sade Könik, att du har lärt dig allt om rätten. I städer med de märkvärdigaste namn. Att du känner rätten från grunden.

Rätten, sade Nils, den är bara tankar. Den behöver lagar och domare och tjänare för att verka.

Du kan själv vara lag och rättstjänare och domare, sade Könik.

Nils strök sin slätrakade haka. Det skulle Könik så småningom lägga märke till: var gång han övervägde många olika möjligheter och utvägar strök han sig över hakan med insidan av vänster hand.

Det är givet, sade han så och nu såg han varken på Blasius eller Könik utan tittade stint ner i backen, att detta som du har berättat för mig, det kan jag döma om på en eftermiddag. De obetydligheterna kan jag avgöra mellan middagsmålet och aftonvarden.

Så bråttom är det inte, sade Könik, vi har all tid i världen. Rättare sagt har vi här i Kadis ingen tid överhuvudtaget.

Om fyra dagar, sade Nils, är Johannes Döparens dag.

Jaha ja, sade Könik. Det skulle han också minnas till evig tid, Johannes Döparens dag.

Men, sade så Nils, vad skulle det hjälpa er. Om ni blev dömda för det ena eller det andra som ni har gjort här i förbistringen och ensamheten. Om jag tog mig tid att i all enkelhet rannsaka dem av er som kan behöva det. Och om jag avkunnade någon liten handfull domar.

I konungens namn, sade Könik.

Givetvis, sade Nils. I konungens namn.

Nu sträckte Könik på sig så mycket han förmådde och vände ansiktet uppåt mot honom, halva ansiktet var strängt och kraftfullt, halva var ödmjukt bedjande, ärret efter örat glödde djuprött.

Vi skulle få ljus och klarhet, sade han. Ett nytt Kadis. Vi kunde timra allt på nytt från grunden. Först domen och sedan livet.

Och vem skulle verkställa mina och konungens domar.

Borne, sade Könik. Borne var mäster här i Kadis innan sjukdomen rörde om oss så som svinet gör med skulorna i tråget.

Du är en märkvärdig karl, sade Nils. Du säger att du mister förståndet av och till.

Förr var jag klok oavbrutet, sade Könik.

Men nu, sade Nils.

Just nu, sade Könik, har jag mitt förstånd.

240

Det vet du säkert, sade Nils.

Aldrig sedan kaninerna kom till Kadis har jag haft förståndet så säkert i min hand som nu.

Jag känner många, sade Nils, som skulle prisa sig saliga om ingen ordning fanns och ingen dömde.

Och Könik sade det han då rimligtvis måste säga: De har aldrig smakat orätten och förvirringen.

Men nu kom Eira ut, hon hade tänkt ropa men ångrat sig, hon kom fram till dem och neg för denne Nils, ja hon neg verkligen och sade att fisken var kokt, inte bara kokt sade hon, den hade börjat falla sönder. Alltså gick de in och åt. Hon hade hällt upp fisken i den glaserade lerskålen, aldrig förr hade en kronans karl ätit under hennes tak, och hon hade skurit sönder brödet med kniven.

Hon berättade om Kare sonen som de hade fått stulen. Det kunde man verkligen förvånas över: Könik hade inte med ett enda ord nämnt Kare, de hade stått en lång stund därute hos Blasius och pratat, men han hade inte kommit ihåg att ens flyktigt säga att han utom Eira och Blasius även hade en son eller åtminstone hade haft en son.

Jovisst ja, sade han nu. Det var någon som stal honom en natt. Men sådant måste man ju vara beredd på.

Och han höll fram det lilla trähuvudet som han hade hängande om halsen.

Ett välskapat barn, sade Nils.

Jag täljde den för att ha som ett minne av honom, sade Könik.

Och Eira påminde honom inte om att när han skar den bilden, då hade de ännu Kare kvar.

Nils lyfte sin fisk från munnen men sade ingenting på en stund, han hade sugit benen nästan rena så att endast formen och linjerna var kvar, han begrundade medlidsamt den förlorade sonen och fisken.

Jag hörde talas om det, sade han sedan. Då sjukdomen härjade som värst och avlandet inte förmådde hålla jämna steg med döden, då kunde ett barn byta ägare tio gånger om dagen.

Jo, sade Könik.

Men nu, fortsatte han, nu är ju den tiden sedan länge förbi.

Här i Kadis, sade Könik, är det svårt att veta vilken tid som är förbi.

Det var en blind åtrå efter livsfrukt bara. Ingen gav sig tid att avla och föda. Hets och febrig galenskap och ingenting annat.

Men han ska ju komma tillbaka, sade Eira.

Allting återvänder, sade Nils. Allt återgår till sitt ursprung. Det finns en tid för sönderslitning och förskingring men också en tid för återgång och återvändo.

Han är bara borta en liten tid och lär känna världen, sade Eira. Men här är han ju hemma.

Återställandet, sade Nils, är livets huvudregel. Söndringen är undantaget. Den mesta tiden är livet sysselsatt med att återställa sig självt.

Talar du nu om Kare, sade Könik.

Givetvis, sade Nils. Han finns innesluten i detta som jag säger.

Men nu for hans blick runt väggarna utan att finna fäste, han kunde inte se på Eira eller Könik.

Det lärde jag mig i de främmande städerna långt borta i världen. Läran om rätten och läran om Gud har detta gemensamt. Återställandet.

Sedan blev de alldeles tysta, han höll fortfarande fisken i fingrarna, ingen av dem visste vad de borde säga. Jo, Eira sade: Fisken heter siken. Men inom sig kände hon något som nästan liknade glädje, en dunkel men samtidigt ljus förnimmelse av tröst genom den storslagna och ofattbart djupa innebörd som denne Nils gett åt hennes Kare och hans försvinnande och oundvikliga återkomst.

Och Könik sade: Ibland om nätterna kommer det en varelse och ställer sig grensle över mig, hon sätter fötterna på ömse sidor om höfterna, och sedan rider hon mig så vanvettigt att jag inte kan andas och blir alldeles mörbultad.

Så fick Nils eller om han nu borde heta Nikolavus

243

veta att Könik brukade ridas av maran.

Och det sades ingenting mer om att han borde gå till Önde. Varför hade Könik gjort sig mödan att bygga ett rum vid huset om inte rummet kunde bebos såsom nu av en kronans karl med silvertrådar i hårbandet.

Eira bar in halmen och redde bädden åt honom på det väggfasta sätet som Könik timrat. Och Nils och Könik gick ut och såg Kadis. De gick inte in hos någon och de mötte ingen. De såg vattenrännan där vattnet var gult fastän det var full sommar. De såg alla husen där bommarna låg över dörrarna och luckorna var stängda. Öndes alla bomärken. Och den halvt förmultnade skidhaga som hette eller hade hetat muren. Och marken som ännu var svart och död där de hade bränt kräken. Natten var ljus. De såg oräkneliga kaniner.

En präktig ort, sade Nils. En förträfflig plats.

De gick in i kapellet. Där hade Önde lagt upp en hög av fjolårshöet framme vid det stora korset. Könik visade skepnaden som han skurit, han som såg ut som Önde hur han än bar sig åt.

Ja, läspade Nils, fromheten och sanningskärleken strålar sannerligen ur det ansiktet, ja ur hela gestalten. Är det Jakob aposteln. Eller månne Josef styvfadern.

Jag vet inte så noga, sade Könik. Det kan väl vara

244

vem som helst.

Och de gick slutligen till sängs i Köniks hus. Nils tog sin ryggsäck till sig i rummet som var det enda rummet i Kadis. Könik kunde inte sova, fastän han stängde ögonlocken trängde nattljuset från gluggarna in i ögonen, det liknade det där ljuset som Eira en gång hade framkallat genom att gnida skåran som klöv hans ansikte.

Sist av dem kom Eira i säng, innan hon fick sova måste hon alltid bära mat till Blasius så att han skulle överleva natten.

Om morgonen sade Könik till Nils: Det är bäst att du håller dig härinne i dag, här i Kadis kan man aldrig säkert veta, det är oklokt att gå omkring och vara främmande, någon av oss skulle i misshugg kunna dräpa dig.

Därför låg Nils på sin bädd då han inte var hos Eira och åt. Han låg och tittade upp i taket där granvirket än var färskt och ut genom eldöppningen, det var sol och klart. Han låg och tänkte på allt som Könik hade sagt honom och ordnade denna bråte av små alldagliga händelser så att den blev någorlunda sammanhängande, ja kanske till och med användbar och nyttig. En kaninkäring med buken full av ungar hade tytt sig till honom, hon låg på hans bröstkorg och han strök henne över ryggen. Han redde ut och satte samman, mycket förblev dunkelt och stympat. Men något som liknade en översikt eller berättelse växte ändå fram, han fingrade på kaninpälsen som var så len att fingertopparna stundtals betvivlade att kaninen alls fanns. Och han lät alltsammans ta sin början med en kaninkäring som en ung man på hemväg från Nordingrå fick bära från Ume till Kadis. Om han kom levande härifrån ville han inte vara tomhänt, han ville ha någonting att berätta. I stort sett allt vi vet om Kadis har vi således ursprungligen från honom.

Könik gick till Önde, han satt med Maria i famnen och gav henne torkade blåbär som han hade i handen, han lade dem ett i taget på tungan som hon sträckte ut. Maria var nu i den åldern då hon alldeles vettlöst for hit och dit, hon hade lärt sig gå men begrep ännu inte vad man sade åt henne, någon måste alltid vara hos henne, annars kunde hon stulta iväg rätt in i elden eller försvinna till skogs.

Önde såg genast att Könik hade ett ärende. Han kunde inte minnas när han sist såg Köniks läppar och ögon verkligen öppnas och röra sig. Och han lyfte över Maria till Ädlas knä och hävde in blåbären som var kvar i sin egen mun.

De gick ut och ställde sig i skuggan bakom Avars gamla rönn där ingen kunde höra dem.

Jag har en kronans karl hemma hos mig, sade Könik.

Jag vet det, sade Önde.

Hur kan du veta det.

Det vet hela Kadis.

Han är en vederstyggligt hård och grym herre, sade Könik. Han regerar som djävulen själv där hemma hos mig.

Och han är verkligen en kronans karl, sade Önde.

Han har ett brev med konungens stämpel. Och han har konungens ring på fingret.

Men vad vill han, sade Önde.

Om jag riktigt kunde förstå det, sade Könik. Men han är icke den sortens karl som man genast blir klok på.

Du får skicka honom till mig, sade Önde.

Jag har sagt det. Jag har sagt: Det är brukligt att alla främmande går till Önde. Men han säger att innan han har gjort vad han ska kommer han icke att lämna mitt hus.

Men vad är det då som han nödvändigt ska göra.

Han ska gå till rätta med oss. Han ska rannsaka och döma oss.

Han har mist förståndet, sade Önde.

Han ska själv vara lagen och rättstjänaren och domaren. Han ska återställa och upprätta och skänka ljus och klarhet.

248

Säger han verkligen så.

Jo, sade Könik. Ord för ord. Och han läspar.

Där hör du ju, sade Önde. Han är otillräknelig.

Han är söderifrån där folket pratar högtidligt, sade Könik.

Vi har ju aldrig gjort något ont, sade Önde.

Det har jag sagt åt honom, sade Könik. Men han säger bara att konungen har sänt honom.

Och detta skulle vi tro, sade Önde. Att konungen har sänt en särskild karl till Kadis.

Han har sänt honom vart som helst, sade Könik. Vad han gör här, det gör han överallt dit han kommer.

Nu grubblade Önde ett tag, utan att tänka på vad han gjorde skar han in sitt bomärke i Avars gamla rönn, två djupa skåror med en grund skåra tvärsöver. Sedan sade han: Vi får taga och dräpa honom.

Det går inte att dräpa en konungens karl, sade Könik. Om man dräper en konungens karl då kommer det tie konungens karlar och letar efter honom.

Då suckade Önde tungt och uppgivet.

Och vi som hade det så lugnt och gott, sade han. Vi som lever i fred med hela skapelsen och världsalltet.

Jo, sade Könik.

Och du är säker i fråga om detta med konungens namn.

Han säger det själv, sade Könik. I konungens namn. Och han vill hålla till i kapellet. Du får bära bort fjolårshöet.

Det var alltså lika gott att foga sig och göra undan denna förtretlighet, att utstå denna prövning, så att de kunde bli av med honom Nils konungens karl eller vad han nu var, så att han kunde dra vidare vart som helst.

Önde gick till Borne, Könik gick hem.

Nu är allting förberett och färdigt, sade han till Nils som låg påklädd på bädden.

För vad.

För tinget som du ska hålla med oss.

Om jag hade förutsett vad ni skulle kräva av mig här i Kadis, sade Nils, då hade jag gått tillbaka till konungen och sagt att världen slutar i Ume.

Det kunde nog ha varit sant, sade Könik.

Alltsammans är ett grymt gyckel, sade Nils.

Här i Kadis, sade Könik, går det icke att göra någon skillnad mellan gyckel och dödens allvar.

Nils satte sig upp, han tittade tankfullt men också leende på Könik. Han såg med ens ut som om detta som han skulle uppleva i Kadis livade upp honom.

Ja, sade han, djupt och äkta gyckel, det är så allvarligt att man kan tacka sin skapare om man kommer undan med livet.

Du skulle ha en ring på fingret, sade Könik.

Då tog Nils sin ryggsäck och öppnade den, när han stack ner handen rasslade det och klingade av metall, och snart hade han inte en utan fyra ringar på fingrarna, två på var hand.

Vilken är konungens, sade Könik.

Det kan nog vara alla fyra, sade Nils. Konungen håller inte så noga reda på sina ringar, han strör dem omkring sig som man strör smulor åt fåglar.

Om du hade en kappa, sade Könik.

Jag kunde gå min väg, sade Nils. Och lämna er åt ert öde. Jag är ingen lekare eller taskspelare.

Men medan han sade det stack han än en gång ner handen i ryggsäcken. Och nu fann han en kappa eller mantel, så tunt var tyget att den hoprullad rymdes i handflatan, och han lät den fladdra ut i luften framför sig och hängde den över axlarna. Han var tydligen beredd på allt.

Jo, sade Könik. Nu syns det att du är en kronans karl.

Kappan var blank och svart och hade ett vitt kors på ryggen, Eira kom och beundrade den. Det var egendomligt gripande att se det där slätrakade ansiktet mot det svarta tyget, hon hade aldrig förr sett ett slätrakat ansikte.

Men Önde gick hem till Borne och sade: Könik har lockat och övertalat den här främlingen att ställa till med någon sorts ting, han ska reda ut och dö-

ma om allt som har hänt här i Kadis sedan kaniner-
na kom.

Bera säger att han är en kronans karl, sade Borne.

Jo, sade Önde.

Men är det då allvar eller gyckel, sade Borne.

Det ska vara du som frågar något sådant, sade
Önde. Om du kan tala om för mig hur man skiljer
mellan gyckel och allvar, då ska jag ge dig ett silver-
stycke som är lika stort som din näve.

Så gick Önde. Men Borne stod grubblande kvar
och granskade misstroget sin väldiga näve.

Lappri

Ändå var det vad som först blev sagt då de samlades i kapellet, det var Borne som frågade: Ska det här föreställa gyckel eller är det allvar.

Men nu var den frågan ännu orimligare än då han ställde den till Önde.

Nikolavus förklarade lugnt och fortfarande en liten aning läspande att här inför domaren, vid tinget, inför sittande rätt, talade man endast i fastställd ordning, när det var ens skyldighet att tala, om det var av nöden.

Nikolavus satt i den höga stolen som Könik hade gjort åt prästen för ohyggligt länge sedan.

Folket, det vill säga Önde och Könik och Borne, satt framför honom på en stock som de lagt mellan två kubbar, deras skägg var strimmiga av middagsmaten.

Kvinnorna stod nere vid dörren, Beras getter bräkte utanför och klingade med sina små klockor, kaninerna som länge varit ostörda i kapellet for skärrade hit och dit. Ja, hela Kadis var där.

När de samlades här i kapellet innan sjukdomen och kaninerna kom, då hade de vuxna ofta lyft upp barnen på sina axlar för att de inte skulle bli nedtrampade i trängseln.

Könik mindes att han en gång ängsligt hade tagit Eira på axlarna. De hade stått så tätt att alla vilade sig mot varandra, det hade varit omöjligt att veta vilka som verkligen stod upprätt och vilka som bara stödde sig mot de andra.

Hela Kadis.

Nu skulle Nikolavus fortsätta skrönan som Könik påbörjat åt honom.

Och han talade.

Han ville endast inleda tinget, sade han, dagen var redan långt liden, morgondagen däremot skulle rimligen bli en domens dag.

Då visste han ju ingenting om morgondagen.

Rätten, fortsatte han, ska skydda de värnlösa, ge frid åt de fridsamma men straffa de våldsamma och föra de vrånga och okloka till sanningen, om alla vore rättrådiga, då behövdes inte rätten.

Där rätten finns, där är vattnet vitt i vattenrännan, dagarna har namn och tal, de döda vilar i ro i sina gravar, barnen alstras så som tillbörligt är och fisknäten är bundna på det enda rätta sättet.

Han läspade inte och han talade högt och långsamt som om han hade haft en stor folkmassa framför sig, kaninerna gömde sig i sina gångar i jordgolvet.

Om bland ädel frukt växer nässlor, tistlar och törne, sade han, så ska man upprycka och bortkasta dem. Gud give att vi här efter lagen så leva, att vi må alla himmelriket hava och med vår broder umgås så, att vi alla himmelrikets nåd få.

Och Könik och Önde och Borne och Eira och Ädla och Bera var förstummade. Inte ens prästen hade mässat så starkt och stämningsfullt. De behövde inte höra många ord för att inse att han hade lagt hela Kadis under sig. Folk och fä och löst och fast. Och kaninerna. Han mässade just så som den ursprunglige Jaspar hade mässat då han förklarade kaninens väsen för dem och påbörjat sin orimliga skröna.

Han ville även beklaga att anslutningen till detta tingsmöte för att inte säga denna högtid var så ringa. Han förutsatte att de som inte var där hade laga skäl att utebli. Då de nu emellertid var så få ville han hos de närvarande inskärpa vikten och betydelsen av att de alla ansträngde sig till det yttersta för att så många sanningar som möjligt skulle uppenbaras och att rättvisa skulle vederfaras alla som kunde ha gjort sig förtjänta av den, här och var i sitt tal nämnde han också att han handlade i konungens namn, och han viftade med fingrarna så att alla fyra ringarna syntes, om handlederna hade han silverkedjor och de ringde som bjällror. Ingen fick tro att rätten och lagen, i den mån man här kunde tala om lagen, var ett gyckelspel, såvida inte all rätt och all ordning i grunden var ett storartat gyckel där Gud gäckades med sin stackars eländiga skapelse, så att rättvisan var Guds tidsfördriv på den åttonde dagen. Men det ville han lämna därhän. Nej, alla de här församlade måste med förtvivlans mod och i glad förtröstan fullgöra sina skyldigheter som svarande och kärande och även bisittare, de måste låta svarandet och kärandet och bisittandet blandas inom sig så att de sannerligen visste varken ut eller in, först så kunde vägen beredas för bindandet och lösandet och dömandet.

Och han beskrev i förbigående kuren för en oredlig bisittare: Man ska binda hans händer, lägga en duk över ögonen, kasta honom på magen och dra ut tungan ända till nacken. Sedan ska man lägga ett kraftigt rep om halsen och hänga honom sju fot högre än en fågelfri tjuv.

Borne lutade sig fram och lade huvudet på sned som för att höra bättre, detta med tungans utdragning till nacken var dittills okänt för honom. Nikolavus blev varm av talandet, han lyfte fram en flik av den svarta kappan och torkade sig i pannan, då och då när han sökte efter ett särskilt svårfångat eller praktfullt ord gned han hakan med insidan av vänster hand.

Han ville uppriktigt beklaga att sökandet efter ordning och rättvisa krävde att en del frågor ställdes, frågor som de kunde finna pinsamma men som de trots allt måste sträva att ärligen besvara. Men de fick inte förtvivla inför dessa frågor, så som den om någon i tankspriddhet och själsfrånvaro verkligen hade lånat smycken ur de dödas gravar eller närmat sig en eller annan kviga med alltför stor tillgivenhet eller av misstag ristat sitt namns tecken i något stycke trä som var vackrare utan tecken, de frågorna skulle endast ställas om inte något oförutsett inträffade, men det oförutsedda brukar trots allt inträffa.

Han sade det som om han redan vetat vad som skulle ske.

Och här gällde det ju inte i första hand någon enskild som sökte sin rätt, inte en enstaka målsägare som bittert eller stridslystet anklagade och utpekade en medmänniska och krävde hans blod, nej här gällde det ett mera allmänt och okroppsligt sökande efter ordning och rätt, rätten som grundtanke eller osynligt väsen eller synvilla eller tillstånd, ja tillstånd var förvisso det bästa ordet, ett tillstånd som kunde liknas vid mättnad eller sömn eller rus, ett lustigt rus av starkt öl, ett själsligt välbefinnande gränsande till det skamliga, rätten och ordningen som glädjekälla och upphetsande dryck och tröst för betryckta själar, man kunde också säga att vad de här sökte var det enda självklara, något dunkelt som alltid och överallt kunde te sig självklart och oemot- sägligt. Möjligen ville han i det här sammanhanget höja ett varnande, halvt konungsligt finger: rätten och ordningen är som eld, när den väl fått fäste låter den sig ogärna hejdas, den förintar allt i sin väg, till sist förintar den sig själv.

Nu stödde Borne huvudet i händerna och sov. Öndes kniv ristade förvirrat bomärke efter bomär- ke i stocken som de satt på. Halva Königs ansikte log åt ordens skönhet, den andra halvan var bistert ryn- kad åt deras innebörd.

Ja, det var ingen ände på vad som lät sig sägas om ordningen och rätten, ytterst var det, påpekade han, sjukdomen och döden som här borde stå till svars, ja överallt där människor levde och bodde borde sjuk- domen och döden ställas till svars, eftersom det ju var dessa två, vilka väl egentligen utgjorde en enda gestalt, som hade stulit och förgjort alla fasta former och självklarheter, men mot sådana herrar var man maktlös om man så kom i konungens namn. Han ut- talade mängder av ord som han föreföll att minnas mycket dunkelt och som skulle påminna om kunskaper från främmande städer med de sällsammaste namn. Ingen förstod vad han sade, han lade det inte själv på minnet, därför saknas det även här.

Till sist, innan de nu avslutade dagens överläggningar och gick till vila för natten, ville han i konungens namn lysa frid över Kadis, allting skulle hädanefter och så länge oklarhet kunde råda om det ena eller det andra lämnas som det var, ingenting skulle grävas upp eller ner, inga bomärken skäras, inga föremål rubbas från sin rätta plats, inga köttsliga lustar tillfredsställas på mindre lämpliga sätt. Frid vare med er alla.

Könik och Önde och Borne reste sig tyst och försiktigt som om de hade varit hos prästen i den heliga mässan. Getterna teg därute. Kaninerna syntes inte till, fråga är om de någonsin mer skulle visa sig i Kadis. Ädla och Eira och Bera som stått nere vid dörren kände inte längre av sina ben, de var bortdomnade av det andäktiga och allvarstyngda ståendet. De hade stått där hela tiden undantagandes den lilla stunden då de sprang hem och kvällsmjölkade. Bera hade Jaspar i korgen, Ädla hade Maria i famnen.

Nikolavus tog Borne avsides. För fortsättningen av det här spelet behövdes det en träställning på väl synlig plats, han önskade att Borne skulle bygga den ställningen, för det var väl Borne som kallades mäster här i Kadis, en ställning som kunde användas till vad som helst men som inte kunde missförstås, två grova stolpar och en tvärslå.

Vi hade en, sade Borne, men den ruttnade jäms med marken och rasade.

Han Borne skulle inte bli lottlös, han kunde påräkna såväl ringar och armband som silverstycken om han med måttfull värdighet och lagom tankfullt medverkade i detta bistra gyckel och skrattretande allvar.

Jag ska inte ha någonting, sade Borne. Jag gör ju bara min plikt mot Kadis.

Eira försökte prata med Könik på hemvägen. Varför hade han egentligen ställt till med detta elände eller upptåg eller vad det nu var, varför hade han övertalat den här konungens karl Nils som nu då det behövdes hette Nikolavus att stanna, ja inte bara stanna utan sätta sig över dem och på dem. Men Könik teg, aldrig hade han kunnat tänka sig att ljuset och klarheten var något så obegripligt och oredigt, något så löjeväckande och hotfullt. Något gladde han sig men huvudsakligen var han djupt förtvivlad. Jag vet ingenting, sade han.

Är det för Kares skull, sade Eira. Du ska inte oroa dig för Kare. Nu är det bara en kort tid, sedan kommer han hem igen.

Det vet jag förvisst, sade hon.

Förr i tiden, sade Könik, då visste jag alltid säkert varför jag gjorde det ena eller det andra.

Man ska alltid veta vad man gör, sade Eira. Man ska aldrig göra något som man inte själv förstår.

Ja, hon höjde till och med rösten och ropade åt honom på ett sätt som hon aldrig förr hade gjort:

Man får inte vara som en sömngångare, om man gör sig blind och döv då faller man i varenda grop, ja i vilken avgrund som helst. Om du alltid hade vetat vad du gjorde, då skulle aldrig något ont ha hänt oss.

Då de kom hem åt de kvällsmaten, även Nikolavus kom och åt med dem, han satt framme vid eldpallen och skar för sig och åt. Eira och Könik satt på sina bäddar och tuggade sina brödkanter och det torkade kaninköttet.

Den smakar sött kaninen, sade Nikolavus. Men man är länge mätt av den.

Och Eira och Könik sade ingenting.

Så var det tid att göra natt, han var kvällstrött Nikolavus, det var en egenskap som man tillägnade sig i konungens tjänst, om morgonen skulle alla gå i den första mässan och då var det av nöden att man brukade kvällen och natten till sömn.

Och Könik och Nikolavus gick till sina bäddar, Eira måste röra ihop grismaten och stilla Blasius.

Könik somnade nästan genast. Men Nikolavus låg

vaken en stund, han hörde Eira lyfta spannar och tråg och arbeta med sleven och kniven, han låg och tänkte över den här skrönan om Kadis som han nu gjort till sin och hur han skulle göra den färdig, hur sakta den alltintill nu skridit fram och hur lätt han hade tillägnat sig alltsammans och vilket nöje det beredde honom att hädanefter kunna låta vad som helst ske. Han var den märkvärdigaste människan dittills i Kadis, han värmdes av en upplyftande och övermodig glädje, och när Eira tystnade med sitt arbete somnade han.

Men Eira satte ner tråget med grismaten, även hon var trött, hon ville vila ett par andetag innan hon gick till Blasius. Könik sov tungt, då och då öppnade han munnen och snarkade till. Också Nikolavus sov, han andades så sakta och fint att hon tvangs sätta handen bakom örat för att alls höra honom, hans sömn var så förnäm att det inte ens visslade ur hans näsborrar. Och hon tänkte att hon skulle gå in i rummet där han låg och se honom.

Han hade tagit av sig det där bandet som han annars hade omkring pannan, kvällssolen lyste på honom genom gluggen i bortre väggen, det var ett gulrött ljus som gjorde hans hår skimrande och nästan genomskinligt, det låg utbrett som häcklat lin över blusen som han rullat ihop till stöd under huvudet.

Den där krusningen i skinnet omkring ögonen, de där smårynkorna som rådde för att man omöjligt kunde se om han gäckades eller var allvarsam då han var vaken, de var borta, det såg ut som om han fullständigt hade uppgett sin tvekan och sin lustighet nu då han sov.

På förmiddagen hade han skrapat hakan och kinderna med en särskild kniv som han hade i en skinnpung i ryggsäcken, och sedan hade han svettats åtskilligt medan han talade i kapellet, han glänste som om han hade smort sig med njurtalgen. Ansiktet var naket och blottat så att Eira blygdes då hon såg det. Han hade inte något skynke över sig och inte heller något annat, han hade tagit av sig dräkten som gjorde honom till en konungens karl men kvällssolen utifrån och nakenheten klädde honom i någon annan sorts upphöjdhet och prakt, han låg utsträckt med armarna vid sidorna, de fyra ringarna hade han kvar på fingrarna och silverkedjorna kring handlederna.

Eira hörde inte hur Blasius ringde med sin skälla och kallade på henne.

På bröstet och benen hade han hår eller rättare sagt fjun som liknade kaninungarnas då de är någon vecka gamla, det var så mjukt och lent att det darrade och rördes då hon kom nära och andades på det. På halsen och i navelgropen hade han små pärlor av svett. Munnen var inte alldeles stängd och då och då kände han med tungan mot insidan av läpparna som om han velat slicka i sig den sista smaken av något ljuvligt som han ätit. Och hans lem var styv och pekade snett uppåt, då han andades svajade den som ett litet träd som står ensamt och det blåser på det.

Då han var i Ume, ja redan i Nordingrå, hade han föresatt sig att han skulle gå till någon kvinna. Men han glömde bort det. Han tänkte inte på det. Men nu i sömnen tänkte han på det.

Han drömde att han låg och vilade sig. Innan han lade sig hade han druckit ett sött vin och han hade smaken kvar på läpparna. Han var ensam på en främmande men ändå välbekant ort långt åt norr där världen tar slut. Här kunde han låta vad som helst utspela sig, det var varmt och han var naken. Då kom det en kvinna drömde han, och hon ställde sig och såg på honom. Han såg inte att hon granskade honom för han drömde att han inte ville öppna ögonen och röja att han var vaken, men han kände det som en retning eller kittling i skinnet, hon trevade och fingrade över honom med blicken. Och han lät lemmen resa sig, det tycktes honom passande och behagligt. Sedan drömde han att hon kvinnan lyfte upp sina kjortlar och steg upp till honom i bädden, hon ställde sig bredbent över honom med anklarna pressade mot hans höfter, den högra ankeln mot hans vänstra höft och den vänstra mot hans högra. Så hukade hon sig ner och tog hans lem till sig drömde han, hon lät lemmen uppgå i sig så enkelt och ödmjukt att han ingenting kände förrän det redan hade skett.

Det var Eira som gjorde det. Hon visste inte att hon gjorde det, hon var alldeles oskyldig och som blind och döv eller som en sömngångare, hon förstod alls ingenting av detta som hon förehade sig. Hon gjorde det inte själv, det blev bara gjort.

Och Blasius hade hon fullständigt glömt, hon hörde honom inte fastän han nu skrek i den djupaste ångest, han tyckte själv att hela Kadis borde vakna och komma rusande med alla de tråg och spannar som fanns, och han svängde och slog med skällan som han hade om halsen så att det lät som när smeden hamrar på städet. Än var väl hungern inte dödlig, men utan kvällsmaten trodde han sig inte om att kunna överleva natten.

Eira var alltså liksom sovande och han tog emot henne i sömnen, man kunde sannerligen fråga sig om detta som de gjorde alls ägde rum. Efter ett tag blev hennes rörelser hastigare och våldsammare, hon dunsade upp och ner på honom så att hans bäckenben och höftkammar började värka, och en kort stund var hans dröm suddig och förvirrad, han förnam den bara i kroppen och inte i tanken. Men sedan klarnade den igen, och nu var hon inte längre den där kvinnan som hade kommit och sett så godhjärtat och förundrat på honom utan ett väsen som red honom, en skoningslös varelse som hade bemäktigat sig en av hans kroppsdelar och som var sinnad att förtära honom hel och hållen. Och han drömde att han måste häva henne av sig, han måste vältra bort henne från sin kropp och från bädden innan hon hade sargat honom alldeles fördärvad. Men han kunde inte röra sig det allra minsta, fingrarna och armarna och benen löd honom inte, han var som förlamad. Till sist marterade hon honom så olidligt att han försökte skrika eller åtminstone kvida eller stöna så att någon skulle kunna höra honom och komma till hans frälsning eller så att hon skulle bevekas att skona honom till livet, men inte ens det förmådde han.

Men så ropade Könik inifrån huset. Eira, ropade han. Eira.

Och hon blev alldeles stilla. Sedan lyfte hon sig upp från Nikolavus och lät kjortlarna falla ner och skyla henne igen, och hon steg ner från hans bädd lika varligt och finkänsligt som hon kommit. Men fortfarande var tankarna alldeles domnade och hon rörde sig som i dvala. Först då hon kände det kalla jordgolvet under fotsulorna började hon komma till sig. Hon stod en stund och undrade vad hon egentligen gjorde därinne, Nikolavus låg och sov och han var naken, hon mindes att hon hade varit på väg ut till Blasius med kvällsmaten och hon tyckte att Könik nyss hade ropat på henne.

Så hon gick tillbaka till Könik och till tråget med svinmaten.

Om jag kunde begripa vad som har tagit åt Blasius, sade Könik.

Det var verkligen så att Blasius hade åstadkommit ett sådant ohyggligt oväsen att Könik hade vaknat fastän han sov så ofattbart djupt att han inte ens hade några drömmar. Och de var tysta en stund och lyssnade efter honom, men nu hördes ingenting längre, möjligen skramlade en skälla någonstans men det var så långt borta att det omöjligen kunde vara Blasius.

Även Nikolavus var på väg att komma till sig. Men detta som han genomgått var så skrämmande och obegripligt att han inte hade krafter nog att verkligen komma till sans. Halvt vaken halvt i sömn satte han sig upp och synade sin kropp. Och det var tveklöst så att maran hade ridit honom, buken och höftkammarna var svullna och flammande röda och han tyckte att lemmen såg ut som ett färskt kaninskinn som vrängts avigt.

Nej, det var omöjligt för honom att till fullo vakna, han lade sig ner på ryggen och återvände till sömnen, han inlät sig inte ens på några nya drömmar. Sedan vaknade han inte förrän Könik långt senare kom in till honom och ropade hans namn och framställde en orimlig fråga och samtidigt med ena handen höll fram och visade honom något som var ännu orimligare.

Aldrig förr hade Blasius fått vänta så länge på kvällsmaten. Om han ens väntade, väntar gör man om något ändå ska komma till sist, så som Eira väntade på Kare. Nej, vad han kände var sorg och bestörtning och bitterhet. Inifrån huset hade han hört det gamla välbekanta slamret av bunkar och tråg och han hade hört kniven hacka och sleven ösa, han visste att Eira så långt hade gjort vad hon skulle och att maten nu låg färdig i tråget, han hade hört rovor och rötter lyftas ur kitteln och skäras i stycken och fiskrens skrapas från brädan och gröpe röras ut i vatten, en liten skål surmjölk hade han också hört tömmas i tråget, han hade förnummit hur allt blandades och stöttes samman. Och han hade ringt instämmande och uppmuntrande med sin klocka. Men sedan blev allt så egendomligt tyst, han uppfångade ljuden av tassande och försiktiga steg men ingenting annat, och han beslöt att sända Eira ett styrkande och manande skrik, en påminnelse om hennes skyldigheter och hans rättigheter. Och han hade lyssnat igen. Men allt var tyst. Eller rättare sagt: alla ljud som nådde honom var ovidkommande och likgiltiga. Nu hade han höjt rösten och inte bara skrikit utan vrålat och tjutit så starkt som hans lungor och strupe förmådde, ja han hade åstadkommit ett rytande som måste höras över hela Kadis och som kunde ha uppväckt alla de döda. Och han hade skakat sin klocka så att träljen vridits och slungats hela varv om hans hals och kläppen varit nära att slitas från sitt fäste. Men ingen Eira och inget tråg.

Då kom en stor skräck och förtvivlan över honom. Sådant hade nu Kadis, ja sannolikt hela världsalltet blivit.

Det var en oreda över allt förstånd, ett tillstånd utan regler och rättesnören. Ingen visste längre någonting, det självklara och givna var utplånat, tideräkningen var bortglömd, icke endast kvällsmålets tid men sannolikt också morgonmålets och middagsmålets och vattenbegjutningens och klappandets och skrubbandets och medgrymtandets tider, innerst inne visste han sedan länge att det här skulle ske, att det till sist skulle komma en kväll av slutgiltig och sönderslitande hunger och meningslösa och ödsliga rop ut i den tomma rymden. Här satt han nu på sina skinkor och piskade och viftade hjälplöst med frambenen, allt han förnam var en förvirring som gjorde livet omöjligt att leva, här skulle han nu sjunka allt djupare i orimlighet och förtappelse. Det var en oreda och ett dunkel som han måste frälsa sig ur.

I sorg och bestörtning och bitterhet kastade han sig med all sin tyngd mot spjälorna som dittills stängt honom inne och skänkt honom all trygghet i världen. Han visste inte längre alls vad han gjorde, han var som blind och döv, och stängslet brast och rasade som om det varit byggt av murket spink.

Så rusade han ut i Kadis.

Han visste egentligen inte vad han ville eller sökte, då och då skrek han till gällt och upprört och skällan ringde våldsamt och skrällande i takt med hans steg, han störtade framåt som i sömnen.

Och ingenting fann han som gjorde det mödan värt att stanna, det måste vara något förbluffande och utsökt för att han skulle hejda sig, något som kunde väcka hans uppmärksamhet trots den höga farten och trots att hans tankar och sinnen var omtöcknade och domnade.

Alla i Kadis hörde honom. Beras getter började skria och bräka hjärtängsligt. Och Bera som satt med Jaspar vid bröstet sade till Borne: Det är ohyggligt vad Blasius lever om i kväll.

Men Borne hade inte tid att tänka på Blasius. Jag

måste timra en ny ställning, sade han. Om Könik kunde hjälpa mig.

Ädla och Önde åt kvällsmaten, Maria satt framför huset och grävde i jorden med en kalvkäke som Önde täljt till åt henne.

Det låter nästan som om han oroar sig för någonting, sade Önde.

Om vi hade något att ge åt honom, sade Ädla.

Jag har mycket ångrat, sade Önde, att jag inte själv tog hand om Blasius. Han är den klokaste galt som Gud har skapat.

Men jag har ju inte kokat något i dag, sade Ädla, och ingenting har blivit över.

Jag skulle ha lärt honom att dra plogen, sade Önde. Och att tåla ett betsel och en karl på ryggen.

Då Blasius girade tvärt mellan husen slog hans bakdel i väggarna så att flisor flög ur stockarna och det ekade inne i de tomma husen.

Så fick han långt framför sig syn på Maria som satt och grävde med kalvkäken. Allt tungsinnet rann genast av honom som om någon hällt friskt vatten över honom, hon hade en röd kolt som lyste och skimrade i kvällssolen. Och han var framme hos henne så fort att han inte ens själv begrep hur det gick till, och han lyfte henne på trynet och slängde upp henne i luften, hon ropade till av skrämsel och förtjusning, just så brukade Önde överrumpla och

274

kasta och fånga henne.

Så kom då Ädla och Önde rusande, Önde hade fortfarande en kaninrygg mellan tänderna, men då var allt redan för sent. De blev stående med hängande armar och vitt uppspärrade ögon, kaninstycket föll ur Öndes mun, de var oförmögna att ta ett enda steg och röra en enda lem. Blasius stod också alldeles stilla och såg på dem, han kände dem ju väl, de brukade koka ihop fisken med kålen, det var Ädla och Önde.

Men så började Ädla darra och kvida, bredvid Blasius låg det kvar en liten del av Maria, och Önde kom äntligen till sig och tog Ädla i famnen och bar in henne och lade henne i bädden. Sedan sprang han och hämtade Borne och Könik.

Nu hade Blasius gått och lagt sig under Avars stora rönn, han hade gnidit hjässan ett par tag mot stammen som var sval och sträv och genast somnat.

Borne hämtade ett långt och stadigt rep och de hjälptes åt att binda Blasius, de gjorde öglor och drog ihop hans ben och de lade en särskild ögla om trynet, han låg alldeles stilla och tycktes inte bry sig om vad de gjorde, kanske lyfte han till och med bakbenen en aning för att de lättare skulle komma åt, och de tjudrade honom vid rönnen, de slog repet flera varv omkring stammen och knöt tredubbla knutar.

Sedan gick Könik och väckte Nikolavus, det var

nu han gjorde det.

Nikolavus, sade han. Nikolavus.

Och Nikolavus vaknade tvärt, nu hade han sovit så djupt att han inte ens hade haft någon dröm, han ryckte åt sig skynket som Eira lagt fram då hon redde bädden och skylde sig.

Och Könik sträckte fram något som han hade i handen och frågade: Ska vi begrava detta lilla som är kvar av Avars Maria.

Men Nikolavus begrep ju ingenting.

Så Könik blev tvungen att förklara. Än en gång stammade och snyftade han fram en outhärdligt lång och oredig och yrselskapande berättelse som han krävde att Nikolavus skulle ta till sig och förstå.

Ja, inte bara ta till sig utan också träda in i och göra till sin och fullfölja.

Och Nikolavus såg på Könik och på det oformliga och vämjeliga som han hade i handen.

Då for det genom honom en skakning av gräslig smärta, det var som om någon skar med en täljkniv i bröstet på honom och det brände till inne i hans huvud som om någon höll en brinnande tjärsticka mot hans ögon. Han insåg att han grundligt hade tagit miste då han trodde att vad som utspelades i Kadis var en uteslutande nöjsam och gycklande skröna.

Men han var alldeles tyst. Könik måste därför

upprepa sin fråga. Dessutom lade han till en ny:
Och vad ska vi nu ta oss till med Blasius.

Till sist satte Nikolavus upp sig, han gjorde det
tvärt som om en ursinnig kramp gripit tag i honom
och rätat upp honom, och han skrek pinat och
osammanhängande åt Könik. Det där vilddjuret
fick de väl fjättra och spärra in så att inte också and-
ra värnlösa och oskyldiga blev uppslukade, men nu
måste han äntligen bli lämnad i fred i det här helve-
tet. Vad det gällde honom Könik skulle han nog ock-
så finna på råd. Och för honom fick de här i Kadis
gräva ner vilka kroppsdelar som helst var de ville.
Slutligen vrålade han åt Könik att försvinna ur hans
åsyn.

Könik bar då den lilla resten av Maria till Önde,
vad Önde gjorde av den vet ingen. När sedan Borne
och Önde och Könik skulle hämta Blasius reste han
sig upp för att gå dem till mötes och Avars gamla
rönn som var stadigt fastbunden vid honom lyftes
loss ur jorden med rötterna, det var ett svårt arbete
att öppna knutarna och lösgöra Blasius från rönnen
som fallit över honom. Ingen av dem nämnde att de
kunde ha slaktat honom på stället, nej han var allt-
för märkvärdig och hans ogärning var alltför ohygg-
lig. Könik tog skällan av honom, han lät det ske, och
de drog iväg med honom, de tog ett rep bakom fram-
benen och släpade honom så som man släpar en

tung farkost förbi forsar, han var tyst och foglig som om han varit slaktad, och de lyckades få in honom i kistan. De var tvungna att lyfta av dörren och två stockar. Önde stack till honom ett hoptorkat och mögligt bröd att äta, det hade legat därinne sedan Köniks tid.

Och när allt var uträttat var det redan morgon, solen stod över det nedre selet och korna ropade efter kvinnorna som skulle mjölka dem och det var tid för morgonmaten. Under rönnens rötter fann Önde en skinnpåse med tio små guldpenningar. Av påsen var nästan ingenting kvar, men penningarna tog han hand om.

Den dagen blev inte mycket åstadkommet, den ende som gjorde ett dagsverke var Borne. Detta som hänt med Blasius och Maria gav honom den arbetsdag han behövde. Han timrade den där ställningen, och Könik var ett tag hos honom och hjälpte honom att bila stockarna och hugga fogarna.

De var två som låg platt på rygg från morgonen till sena aftonen, Ädla och Nikolavus, de låg och stirrade ut i tomma intet.

Ädla kunde inte gråta, men Önde satt långa stunder hos henne och grät i hennes ställe, ja han skötte alla hennes göromål, mjölkningen och grötkokningen och att göra soppan åt spädkalven. Men han sade ingenting, på sätt och vis hade ju Maria varit hans eget barn, hur skulle han kunnat finna lämpliga ord att säga åt Ädla då han inte fann några åt sig själv.

Bera kom med två ostar.

Men Eira kunde inte förmå sig att gå till Ädla.

Själv hade hon ju en son som bara tillfälligt var borta, han skulle komma tillbaka.

Och hon hade ju verkligen varit på väg ut till Blasius med kvällsmaten men inte hunnit.

Hon bar in en skål med kaninkött och ärkeängelsblad till Nikolavus, men han rörde den inte.

Hans tankar fladdrade och var orediga, de for hit och dit. Men mot eftermiddagen började de löpa samman och mötas.

Maran hade förvisso ridit honom.

Hennes rätta namn var Incubus, hon var känd i hela den bildade världen, hon var otaliga men ändå alltid densamma.

Det var Köniks mara som i natt hade sänts att suga märg och must ur honom. Könik hade gjort sig kvitt sin egen mara genom att sätta den på honom.

Denne Könik således med det kluvna ansiktet. Han som ända till döds ville gå till rätta med allt och alla.

Anklagaren.

Anklagarens rätta namn var Satan, ängeln med det tudelade ansiktet, han som driver gäck med Gud.

Könik alltså som höll djävulen som hushållsgris. Den här galten som endast kunde tänkas ut och ta kött på en ort vid världens ände dit Gud inte trängt. Här i Kadis.

Ja Kadis.

Egentligen alls ingen ort, inte en stad eller en by, nej ett bedrägeri och ett inbillningsfoster. En lögn där ingen tog ansvar för människorna och vad som skedde med dem. En skröna utan riktning och mål, ett lättsinnigt spel med människoliv och heliga ting. Och fäkreatur och kaniner.

Nej, han skulle sannerligen ta Kadis i sin hand. Än kunde allting vändas till hans egen fördel, nere i lögnens botten låg ädla mynt och silverstycken begravda. Hädanefter skulle han besluta och genomföra allt. Strängt och obevekligt och ord för ord.

Så steg han slutligen upp och klädde sig och redde håret som maran hade tovat och skrapade kinderna med kniven. Och han åt maten. Därpå gick han till Önde, han ropade åt honom att komma ut. Önde hade rätat upp rönnen, han hade haft stänger och baxat rötterna tillbaka ner i gropen, den skulle snart slå ut. Han hade gjort det för Ädlas skull, det var ändå Avars rönn.

Först sade de några ord om sorgen som drabbat huset. Önde hade glömt att det ordet fanns, han upprepade det flera gånger, han var till och med tvungen att göra sig ärende och bära in det till Ädla så att hon också fick höra det. Sorgen.

Sedan talade de länge om allt som var obekant och som en tillfällig besökare eller en konungens besiktningsman kunde behöva veta om Kadis. Allt som hade skett och allt som rimligen skulle kunna ske. De satte sig ner på marken under rönnen, Önde hämtade dricka åt dem. De talade om människorna och djuren och husen och alla tilldragelser och bedrifter och styggelser som tillhörde det förgångna. Nikolavus gjorde sig sannerligen underrättad. Han borde genast ha gått till Önde då han kom, det var till Önde alla skulle gå som kom främmande till Kadis. Då hade allt blivit rätt från begynnelsen.

Könik såg att han gick till Önde, han gick ut och stod framför huset och gav akt på honom. Fortfarande hördes det hur Borne hamrade och slog på ställningen som han byggde. I fråga om sådant var Borne ingen händig karl.

Då kom det någon gående mot honom, någon som hade gått förbi Beras hus, en främling. Han gick raskt och brydde sig inte om att se på husen eller ställningarna där de hade brukat torka näten eller vedkastarna, då han kom fram till Könik frågade han om nu det här var Kadis.

Jo. Det var Kadis.

Då är allt i sin ordning, sade främlingen.

Han tog av sig ryggsäcken och ställde den framför fötterna, det var en liten ynklig skinnsäck.

Det var lång väg, sade han. Från Ume till Kadis.

Han var kortväxt och flintskallig, den ena axeln var mycket högre än den andra och öronen var orimligt stora, han hade skägget tvärt avskuret jäms med bluslinningen. Kring pannan hade han ett band med guldtofsar och i byxtyget glittrade det guldtrådar.

Det finns en karl som heter Önde, sade Könik. Egentligen är det till honom du ska gå.

Jag är törstig, sade främlingen.

Då gick Könik in och hämtade en full skopa ur vattensån.

Medan han drack höll han blicken fäst vid den sidan av Köniks huvud där örat fattades. Och Könik lyfte upp handen och skylde den där fläcken. Jag är oskyldig till detta med örat, sade Könik. Det var en oregerlig kniv som gjorde det.

Du kunde låta håret hänga över örat, sade främlingen.

Det har jag aldrig tänkt på, sade Könik.

Då han hade druckit sade han vem han var. Han hette Magnus.

Vi hade också en karl som hette Magnus, sade Könik. Han räknade tiden åt oss. Han skar märken i trästavar och han var den ende som begrep märkena. Så då han dog, då brände Önde upp stavarna.

Då frågade denne Magnus om många hade dött i Kadis. Och Könik tog till i överkant då han svarade. Alla, sade han.

Prästen dog bland de första, sade han också. Därefter vet ingen ens när vilodagen är.

Biskopen har sänt en flock präster mot norr, sade Magnus. Snart har ni en ny präst i Kadis.

Han hette Blasius, sade Könik. Han talade om det i samma stund som han dog.

Utan präster är ingen ordning möjlig, sade Magnus. Utan präster irrar vi som myggor utan mål och stadga. Redlösa och förtappade.

Fast på sätt och vis, sade Könik utan att förklara sig närmare, var det nog bäst för honom att han fick dö.

Sedan blev ingenting mer sagt om prästen. I stället frågade Magnus: Det vita skinnet på dina ovanläder, vad är det.

Det är kaninskinn, sade Könik. Vi har haft orimligt gott om kaniner här i Kadis.

Och det ordet, kaniner, blev med ens kusligt fruktsamt inne i Könik, ur det enda ordet avlades och framföddes en utläggning så lång och utförlig att han och Magnus främlingen nödgades sätta sig

284

ner för att vila benen, de satte sig på den bänken där Könik brukade slakta kaninerna, han berättade allt som han för en tid sedan också berättat för Nils som dessutom hette Nikolavus, allt som skett sedan sjukdomen kom till Kadis, den vänstra halvan av hans ansikte darrade upphetsat, den högra var slapp av missmod och bitterhet, rösten skälvde. Han glömde ingen orätt och inget felsteg, han redogjorde omständligt för all förvirring och förbistring, ja allt som här har omnämnts både en och två gånger och åtskilligt därutöver. Men han sade inte att det nu fanns en karl hos dem som hade lovat att slutgiltigt skapa ordning och reda och att återställa Kadis.

För han hade ju gått till Önde och än inte kommit tillbaka.

Då han äntligen tystnade teg de bägge eftertänksamt en stund. Myggorna surrade omkring dem. Sedan sade den här karlen: Jag färdas å konungens vägnar, jag skulle med lätthet kunna sätta den här lilla orten på fötter igen.

Kadis var ju stort, sade Könik. Och vi hade en mur omkring.

Allt som krävs, sade Magnus, är att nödiga sanningar utrannsakas. Att ordningen återupprättas. Att oeftergivliga regler blir stadfästa. Sedan kommer ju också snart en präst igen.

Och han skildrade för Könik det tillvägagångssätt

som förefoll honom lämpligast. Det var en domens dag i all enkelhet.

Fast, tillade han, jag vet ingenting om rätta sättet att binda ett nät.

Du skulle således kunna sitta till doms över oss, sade Könik.

Förvisso.

I konungens namn.

Om jag inte gjorde det i konungens namn, då vore det verkningslöst.

Och hur, ville nu Könik veta, kunde han vara så viss om sin förmåga att genomföra detta.

Men det var en fråga som närmade sig gycklet. Magnus strök med handflatan över sitt kala huvud och skrattade till, kort och stötigt. Alla konungens karlar var lagkloka. Det var just lagklokheten som vållat att han blivit en konungens karl. I kronans tjänst måste han känna alla regler och rättesnören och sedvänjor, såväl de som var förhanden som de som blott och bart kunde tänkas, och alla mått och bud, beseglade som tänkbara.

Och var, sade Könik, har du hämtat den kunskapen.

Hos otaliga furstar och herrar, sade Magnus. Och vid lärosäten i främmande städer med de sällsammaste namn.

Könik satt och gned skåran i sin panna, han

grubblade.

Om en galt som vore stor som en häst ställdes inför dig, sade han sedan, och galten hade slukat ett barn som vore avlat av sin egen morfar, hur skulle du då döma.

En sådan förvirring är ändå inte möjlig, sade Magnus.

Den låter sig nog tänkas, sade Könik.

Jag skulle döma honom att mista livet, sade sedan Magnus utan att tveka. Han skulle rådbråkas och trynet skulle spetsas på påle. Men vad gällde barnet finge allt bero, galten hade redan skipat rätt.

Galtens storlek, tillade han, faller utanför målet.

Och sedan sade han: Men den tänkta galten måste väl även ha en herre. En fostrare och husbonde.

Jo, sade Könik.

Han måste obetingat hängas jämte galten.

Och nu frågade Könik om det rentav förhöll sig så att han var sänd av konungen just för att återupprätta sederna och rätten, om det var hans ärende. Om det var just vad han i själva verket var, en konungens ordnare och tillrättaställare.

Men då ryckte Magnus till och rätade på ryggen som om någon rappat till honom med ordet ärende, han hade så helt låtit sig uppslukas av Köniks berättelse om vedermödorna och betrycket i Kadis att han fullständigt hade glömt sitt verkliga uppdrag,

287

och han vände sig i all sin fulhet mot Könik.

Jag söker efter en karl, sade han. Jag har förföljt honom ända från södra Sverige och hit.

Någon sorts ogärningsman, sade Könik.

En konungens karl, sade Magnus. Eller rättare sagt: en karl som hade varit konungens, en av de mest betrodda. Men under sjukdomens tid då laglösheten och förvirringen tog makten i världen, då hade det onda genomsyrat och förvänt hans tankar och hans sinnen, hans kropp hade fortfarit att blomstra men sjukdomen hade vanställt själen. Och han nämnde ett ord från främmande land: kaos.

Det är ofattbart, sade Könik, att något sådant kan ske. Att det kan drabba en människa.

Nå, nu for alltså denne falske konungens karl fram genom riket och stal och bedrog, han var en hejdlös försnillare och en skamlös rövare, hela karlen var en lögn och en skröna. Av köpmän stal han silvret, av biskopar ringarna, av hustrur ärbarheten, av bönder det dagliga brödet. Och nu hade det lagts på honom Magnus att jaga och infånga den skälmen och gyckelmakaren, att spåra upp honom och med redbara undersåtars hjälp gripa honom, död eller levande.

Jo, sade Könik, alla har vi våra uppdrag och bestämmelser. Alla prövas vi till det yttersta.

Konungen krävde för sin del ingenting annat än

den skalkens huvud, spetsat på en påle eller frambu-
ret i en skinnpåse, han nöjde sig icke med mindre.

Och hur såg det då ut, detta huvud.

Nå, han ville nog för sin del påstå att karlen såg ut
just som en ogärningsman. Av andra hade han dock
ofta hört att han menades vara tämligen välskapad.
Skägget rakade han bort var dag och håret såg ut
som häcklat lin och han hade ett silverstrimmat
band om pannan. När han nämnde att det var ett
välskapat, ja kanske till och med vackert huvud för-
vreds hans ansikte av avsmak.

Och ett namn hade han väl också, undrade Könik.
Denne konungens ogärningsman.

Nils, ja Nils. Men som konungens karl bar han
namnet Nikolavus.

Ett grant namn, sade Könik. Nästan som hög-
tidligt.

Och det förhöll sig alltså så att spåren, som ju inte
var spår i vanlig mening utan dunkla vittnesmål och
hörsägner och utsagor om oredliga och samvetslösa
gärningar, de hade nu fört honom hit till Kadis.

Men nu kommer jag snart att finna honom, sade
han. För här slutar ju världen.

Jo, sade Könik. I det närmaste.

Eira kom så ut till dem. Och Könik frågade om
hon trodde sig kunna finna någon mat åt den här
karlen som hade kommit långväga ifrån och var

främmande, något som han kunde äta nu genast om det var av nöden eller spara till dess att hungern blev outhärdlig.

Frågan var således om en sådan karl och främling visat sig i Kadis, en lymmel med ett huvud som det beskrivna.

Här kommer så många främlingar, sade Könik. Vissa dagar gör vi inte annat än ger dem maten och visar dem vägen.

Vilken väg, sade Magnus tvärt och misstänksamt. Här slutar ju vägen.

Nåja, sade Könik svävande, om inte just vägar så finns det ju riktningar och håll som man kan peka ut.

Nu upprepade Magnus sin fråga om den eftersökte och han beskrev honom ännu litet närmare, hur han lät när han talade och hur han rörde sig och silverkedjorna kring handlederna.

Du måste ge mig tid att tänka efter, sade Könik. Jag måste rannsaka mitt minne. Vi pratar ett tag till, sedan kan jag besluta om jag har sett honom eller inte.

Nå, sade Magnus, jag har väl heller ingen brådska. Här tar ju världen ändå slut. Han kan inte undfly mig mycket längre.

Ja, han sade till och med: När jag finner honom och måste dräpa honom, det pinar mig. Allt liv är mig så plågsamt kärt.

Och när han sade det förvreds på nytt hans ansikte av avsmak.

Det finns nog folk som kan hjälpa dig, sade Könik. Här heter en karl Borne, han är mäster. En annan karl heter Önde.

Du nämnde Önde, sade Magnus. Att jag borde gå till honom.

Han är aldrig rådlös, sade Könik. Han är en menlös stackare. Men han är aldrig rådlös.

Jag kunde, sade Magnus, unna mig att vila någon dag. Jag kunde bjuda er den hjälp ni behöver med det mest självklara, med ordningen och rätten. I konungens namn.

Vet du om, sade Könik, att du har gått så ohyggligt långt att du nu är ett gott stycke in i en skröna.

Givetvis, sade Magnus. En konungens karl måste hålla sig underrättad om allt.

Då han klappade sig på den kala hjässan blev handflatan röd av blod från alla myggorna.

Jo, sade Könik. Detta med rätten och ordningen. Hurudan rätten egentligen är. Till sitt innersta väsen.

Om alla vore rättrådiga, sade Magnus, då behövdes inte rätten. Men de värnlösa behöver skydd, de fridsamma ska ha sin frid och de vrånga och okloka ska ha sanningen. Och de våldsamma ska ha sina straff.

291

Så enkelt är det, sade Könik.

Ja, så enkelt är det. Rätten är som ett osynligt väsen som flyr undan framför oss. Så länge vi jagar honom har vi honom. Det är det ihärdiga sökandet efter rätt som är själva rätten.

Han fanns här i Kadis, sade Könik. Men sjukdomen tog honom.

Rätten kan inte dö, sade Magnus. Det kommer alltid en tid av återställande och återupprättelse och återbördande. All förvirring och förbistring och upplösning är bara sken och synvillor. I det fördolda består alltid rätten och ordningen. Sanningen och rätten är inte något gyckelspel. Och lagen är ingen skröna som kan sluta hur som helst.

Lagen, sade Könik.

Lagen, sade Magnus, är det självklara. Lagen kan vara skriven eller oskriven. Men den kan aldrig ifrågasättas eller utplånas.

Då kom Eira med maten som hon hade virat in i en tygbit. Det var givetvis en torkad kanin. Magnus tackade och satt en stund och höll den i handen, han eftertänkte om han skulle äta eller inte, sedan stoppade han ner den i ryggsäcken.

Så att rätten, sade Könik, den är alltid en och densamma.

Ja, sade Magnus, den är evigt densamma. Hel och odelbar.

Det vet du alldeles säkert, sade Könik.

Ja, därom kan aldrig vara någon tvekan. En rätt. En lag. En domare.

Två ordningar, fastslog han, är detsamma som förvirring.

Könik ville verkligen ha visshet om detta, han tog andra ord till hjälp och även bilder, rättvisan och sanningen kunde således inte vara som ett ansikte som är kluvet i två, med den ena halvan gäcksamt tvehågsen och den andra skrämmande sammanbiten och oförvägen eller såsom en kanin som oavbrutet avlar och föder och irrar omkring i spefull och gudlös obeständighet. Eller som två manliga gestalter, den ena högrest och ljus och leende och den andre mörk och dyster.

Nej, sade denne konungens karl Magnus. Rätten är orubblig och oomtvistlig, den är den mest enhetliga av alla skapelsens enheter och den kan endast visa sig i en enda gestalt. Den är ett tillstånd av frid och försoning. En enda källa av ljus.

Om man har valt sig en ordnare och domare och återupprättare, då ska man alltså hålla sig till honom, sade Könik.

Ja, då ska man offra sig själv för att utrota alla andra ordnare och domare och återupprättare.

Och Magnus tillfogade: Det är i bedrövelsen som rättvisan efterfrågas och blir uppenbar. Hur barnslig människan är i sin glädje och hur insiktsfull i sin sorg.

Sedan grubblade Könik länge.

Till slut sade han:

Då vet jag.

Vad är det som du vet, sade kronans karl Magnus.

Och nu talade Könik om att han säkert kom ihåg att den där främlingen med silverstrimmat band om pannan, han som var en gycklare och bedragare och i sig själv en lögn och skröna, han hade verkligen kommit till Kadis. Jo, det hade han.

Ja. Och sedan.

Vi gav honom maten. Och pekade ut åt vilket håll han skulle gå.

Han skulle således vidare.

Jo. Han skulle vidare.

Men vart. Här tar ju allting slut. Bortom Kadis finns inga andra orter.

Jo, sade Könik. Det är föga känt, men det finns en plats som heter Maidige. Den ligger på andra sidan älven, längre inöver landet.

Och dit skulle han.

Jo. Dit skulle han.

Då suckade Magnus tungt och rätade än en gång på ryggen och vände ansiktet mot Könik, det var utmärglat och bistert och sammanbitet, det var ett av de fulaste ansikten Könik sett.

Då har jag ju icke något val, sade han.

Nej, sade Könik. Och har man ett val så måste man välja det ena eller det andra. Och sedan står man där och har icke något val.

Sedan frågade Magnus: Skulle du kunna peka åt rätt håll också för mig.

Jo, sade Könik. Det får jag väl göra.

Så steg de upp och gick förbi husen och förbi muren som nu var bara multnade stavar och snett neröver slänten mot älven. De följde stranden uppåt, de gick sakta för han Magnus hade ju redan gått länge och var långtifrån utvilad, han vaggade en aning och hade ett besynnerligt sätt att knycka till med benen för varje steg, som om hans beslutsamhet och djärvhet satt i höfterna och knälederna. De sade ingenting. Könik skulle ju bara följa honom ett stycke och peka åt rätt håll.

Jo, en gång vände Könik sig om och sade: På sätt och vis kunde vi väl ha behövt även dig i Kadis.

Då de gått förbi två uddar och den största kröken stannade Könik. Där var nästan som ett sel, älven var bred och det stack upp stenar här och där ute i vattnet.

Och det var nu han pekade.

Du går bara tvärsöver, sade han. Här går alla som ska till Maidige. Och sedan fortsätter du uppefter den andra stranden.

Ett besynnerligt namn, sade Magnus. Maidige.

Det är väl lapska, sade Könik. Såvitt jag vet betyder det ingenting. Och du kan gå hur länge som helst, här har vi ju ljuset alltid.

Så gick då denne Magnus ut i vattnet, han såg inte ut att känna av kylan, och då han kom ett stycke ut vände han sig om och lyfte handen till tack för att Könik hade hjälpt honom genom att peka åt rätt håll, på andra sidan skulle han äta den torkade kaninen. Då vattnet nådde honom till midjan började han kliva upp på stenarna och hoppa mellan dem, han verkade vara förvånansvärt lätt och säker på foten. Till slut gjorde han ett ohyggligt språng som trots allt var för kort och virvlarna och strömmen tog honom. Älven hon tog honom, där hade aldrig någonsin en levande varelse förmått ta sig över.

Just när Könik och Magnus reste sig upp och började gå ner mot stranden tog samtalet slut mellan Önde och Nikolavus. Det slutade så här:

Svinet således.

Jo. På något vis får vi väl försöka att få bukt med honom.

Och denne Könik.

Jo. Jag har aldrig tänkt på det. Men det kan nog göra honom gott.

296

Och Eira nämnde inte den andre främlingen för Nikolavus då han återvände, han var ju redan borta igen och man ska väl inte i onödan besvära en konungens karl med prat och sladder. Snart kom också Könik och de åt kvällsgröten.

Innan Nikolavus gick till vila hängde han upp kappan med det vita korset på väggen över bädden, han vände den med korset utåt. Korset är det säkraste värnet mot maran.

Så släpades Blasius än en gång genom Kadis. De lyfte bort stockarna och dörren i kistan och slog repet om honom och halade och drog honom till kapellet. Han hade suttit fången en hel dag och en hel natt och han hade inte mycket kvar av livsmodet, svålen revs sönder mot stenarna och gruset. Men han var alldeles tyst och han lät skallen och benen hänga slappa och dingla och kastas hit och dit av markens ojämnheter. Men praktfull var han ju i sitt elände. Och de tjudrade honom i kapellet.

I Kadis hade aldrig förr ett kräk blivit rannsakat och dömt, kanske hade djuren på den tiden när allt var självklart och i sin ordning inte begått några ogärningar.

Nu när de alla var på plats undvek de att se på Blasius. Han stank gräsligt och hans missgärning var ohygglig och de hade alla varit så innerligt fästade vid honom.

Ja, allt folket i Kadis var där. Kvinnorna stod vid dörren, karlarna satt på den bilade stocken. Till och med Ädla var där, över huvudet hade hon ett svart dok som hon gjort av en av Avars gamla blusar, som om hon först nu verkligen var änka. Könik såg på Nikolavus. Under natten hade Köniks ansikte söndrats så ohjälpligt att han var tvungen att hålla det ena ögonlocket uppe med pekfingret, det var på den sidan som alldeles fallit samman av förfäran, med det andra ögat blinkade han inte ens, den ansiktshalvan var stel och hård som om han själv skurit den ur en alrot.

Nikolavus förklarade att han nu fort och skoningslöst ville åstadkomma ordning och reda här i Kadis, han hade själv, ja i sin egen lekamen med förskräckelse erfarit hur illa det var ställt, här fanns nu inte tid att formsträngt och regelrätt rannsaka och överväga och skipa rätt, nej nu måste allt bli avgjort utan omsvep och utan många eftertankar, här skulle dömas och ingenting annat.

Könik såg alltså på honom. Nikolavus var trots allt en enda, han var orubblig och oomtvistlig, han satt hel och odelbar på prästens stol och nu hade han inga silverkedjor som han klingade med och på fingrarna hade han bara två ringar, en av dem kunde väl vara konungens.

Han ville snabbt avsluta de enklaste futtigheterna. Någon hade kanske hållit en kviga alltför kär. Men ingen som helst visshet stod att finna och kvigan var död. Någon som också var död hade avlat ett barn som även råkade vara hans barnbarn och som nu var dött. Lappri. Och någon hade lockat en främmande handelsman att stanna i Kadis och dö där och för egen del behållit silvret i hans skinnpåse.

Jag ville trösta honom på hans yttersta, sade Önde. Jag gav honom bävergällen.

Men silvret, sade Nikolavus. Silvret.

Jag har bara förvarat det, sade Önde. För den rätte ägarens räkning.

Vem kan då den rätte ägaren vara, sade Nikolavus.

Ja, sade Önde, det har jag grubblat mycket över.

Då ska jag säga det, sade Nikolavus. Silvret är konungens. Om inga andra arvingar finns, då är konungen alltid den rätte arvingen.

Nu såg Könik på Önde. Här nalkades man ändå någon sorts rättvisa.

Jo, sade Önde. Det är ju självklart. Nu då du säger det.

Det ska överbringas till rätten, sade Nikolavus.

Och Öndes ansikte skälvde till helt hastigt som om också det var på väg att brista och dela sig. Han hade trott att han träffat en överenskommelse med

300

Nikolavus om detta gyckel, en hel afton hade de talat samman under rönnen. Det enda han kom sig för att säga var ett par ord om Olavus handelsmannen: Men han dog salig.

Nåväl och vidare. Bomärken hade blivit täljda här och var på föremål och väggar, somliga hade tagit anstöt av märkenas form och tänkbara innebörd, två djupa skåror med en grundare skåra tvärsöver, så vackra att man kunde tänka sig att kniven flugit fram och ristat dem på egen hand, av egen kraft.

När han nämnde kniven for Köniks hand av sig själv upp till örat som var borta.

Men med dessa märken var det så att dem skulle tiden läka, tiden och solen och rötan, de var ack så förgängliga, han dömde inte kniven och heller inte handen som möjligen hållit den.

Ävenledes hade någon tagit vara på ett och annat som de döda i hastigheten fått med sig ner i sina gravar. Det var mänskligt gjort, i varje fall förlåtligt, kanske till och med rimligt. Frågan var endast: Vem var egentligen den rätte ägaren till dessa små föremål som hämtats upp ur jorden.

Och han tystnade, de var alla tysta.

Till sist suckade Önde: Konungen.

Javisst, så enkelt var det. Till rätten med det, så var allt ur världen.

Först hade han hetat Nils, därpå Nikolavus, nu

hette han helt enkelt rätten. Han talade fort, så fort att orden ibland kom sammangyttrade eller stympade ur hans mun, han läspade inte, han ville nu att den här skrönan skulle röra sig raskt och oförtrutet och snart komma till det rätta slutet.

Om själva grävandet upp eller ner och hit och dit och om de döda som ju egentligen multnade så hastigt att man saklöst kunde lämna dem därhän, de sögs upp som strömmande vatten av jorden, härom hade han bara ett enda ord och han ville än en gång med kraft utsäga det: Lappri.

Det var nu som Könik lärde sig det ordet, det var ett strängt dömande men också befriande ord: Lappri.

Och Nikolavus fortsatte att återge allt som han visste hade skett i Kadis, stort som smått, det var Öndes berättelse men något stycke var väl också Köniks, och berättelsen prövades och smulades sönder och avdömdes, för Könik var alltsammans välbekant men ändå besynnerligt främmande, det var detta som marterat honom och som varit hans nätters mara. Ibland skrattade berättaren till, kort och kärvt och högstämt, han gned hakan med insidan av vänster hand och knäppte med fingrarna och blixtrade med de bägge ringarna. Lappri, förkunnade han. Lappri, vad övrigt är, är tystnad.

Och allting herrelöst och oskiftat tillföll konungen.

Visst begrep de alla, ja till och med Bera begrep det och Borne anade det dunkelt, att allt var gyckel-spel och narraktighet, men det var så strängt och all-varligt och dråpligt storartat att de alla undergivet och lydaktigt deltog. De var sannerligen inte i den belägenheten att de kunde avvisa eller ställa sig utanför ett skeende bara för att det var spel och gyckel. Och någon slutlig visshet ägde de ju inte, på evigheter hade de inte varit förvissade om någon-ting. En sådan visshet som Eiras att Kare skulle kom-ma tillbaka, den var ett förnuftsvidrigt undantag.

Även det blev nu som hastigast omnämnt, att ett li-tet barn hade blivit bortstulet, en son.

Då reste sig Könik och sade: Det var mitt fel, det var jag som bar den tanken hit till Kadis att småbarn kunde stjälas.

Och det blev tyst, ingen sade ens lappri, från Eira kom ett litet tunt kvidande men hon sade ingenting. Och det besynnerliga hände att Nikolavus på en lång stund inte behövde säga någonting.

Så satte sig Könik. Sedan sade han: Men jag tror att det var Önde som gjorde det.

Än en gång blev det mycket tyst. Men till slut sade Önde:

Jag kan inte för mitt liv minnas att jag gjorde det.

Jag såg spåren, sade Könik. Och jag känner dig.

Om det var jag som gjorde det, sade Önde, så var

303

jag nog liksom i dvala. Om jag gjorde det, då måste det ha berott på att jag inte visste vad jag gjorde.

Eira flämtade till och tog ett litet kort steg som om hon tänkte springa fram till karlarna och börja skrika åt dem och klösa dem med naglarna och slå dem, likgiltigt vilken av dem, men hon hejdade sig genast, ja mitt i steget, hon blev med ens ännu lugnare och tryggare än förr. Om det bara var Önde som hade tagit Kare, då var det ju ännu mera visst att han skulle komma tillbaka.

I dvala, sade Könik, är man styv som en käpp och går bara sakta rätt fram och känner sig för med händerna.

Nej, så ta mig djävulen, sade Önde. I dvala gör människan vad som helst. Avlar barn och slaktar kräk och anfaller folk med kniven och rider främlingar i marans skepnad. Då människan är i dvala, då är hon som ett svultet svin lämnat utan mat och tillsyn.

Och sådan var du, sade Könik.

Jag vet ju ingenting, sade Önde. Jag vill bara hjälpa dig att tänka ut hur det kan ha gått till med Kare.

Är du kanske i dvala också nu, sade Könik hånfullt.

Nej, sade Önde eftertänksamt. Om man är i dvala, då vet man sannerligen om det.

Människan ska alltid veta vad hon gör, sade Könik. Man får inte vara som en sömngångare. Och nu höjde han rösten så att han nästan skrek åt Önde: Om man gör sig blind och döv, då faller man i varenda grop, ja i vilken avgrund som helst.

Men Önde var lugn och saktmodig. Jag kan icke för mitt liv komma ihåg någonting, sade han. Men om det skulle vara så att jag stal honom, kan det ju också ha förhållit sig så att jag visste vad jag gjorde.

Nu, sade Könik, nu kryper nog sanningen fram.

Då teg Önde länge, han plockade med tummen och pekfingret i skägget och lät blicken irra runt väggarna, det var som om han tvekade om han alls skulle säga något när han nu blev beskylld för att säga sanningen. Och han vände sig om och såg efter om Eira var kvar och han sneglade på Nikolavus som om han väntade sig någon sorts hjälp från honom.

Men Nikolavus han petade nu naglarna.

Eira hade haft den där tygbiten som Önde trugat på henne om håret, nu hade hon tagit av sig den och lagt den under fötterna att stå på.

Silverkedjan som han gett henne och som hon brukat ha om halsen hade hon i handen, hon gladde sig åt att få lämna den till rätten och bli fri från den.

Till slut sade Önde: Det kunde ju ha varit så att jag ville frälsa honom från döden.

Döden, sade Könik.

Någon gång då du hade satt dig i sinnet att dräpa honom.

Jag, sade Könik. Dräpa Kare.

Jag kom en gång, sade Önde, och du hade fingrarna om halsen på honom.

Och Könik sade: Det kan jag icke för mitt liv minnas att jag gjorde.

Det var i sista ögonblicket jag kom, sade Önde. Du skulle just nypa åt. Vi var tvungna att sätta dig i kistan.

Om jag gjorde det, sade Könik, då måste det ha berott på att jag inte visste vad jag gjorde. Jag måste ha varit liksom i dvala.

Och han vände sig om och såg efter om Eira var kvar och han kliade sig i skägget och han tryckte med pekfingret mot det där ögonlocket som hela tiden ville falla ner.

Jag vet ingenting, sade han. Om det skulle vara så att du säger sanningen.

Har jag någonsin, sade Önde, sagt något annat än sanningen.

Då måste det ha varit så att jag ville akta och bevara honom. Jag ville hålla händerna över honom så att ingen skulle kunna ta honom.

Man ska alltid veta noga och till alla delar vad man gör, sade Önde.

Jag ville hålla fast honom till evig tid, sade Könik.

Jag ville göra så att ingenting mer skulle kunna hända honom. Sådant som Kadis nu blivit.

Ja, så gick de på, den ene anklagade den andre som då försvarade sig med anklagelser och den ena anklagelsen var värre och obarmhärtigare än den andra, de var fullständigt skoningslösa och alldeles hjälplösa, de redde sig ganska illa mot varandra. De grävde upp allt som skett i det förgångna, Önde mindes nu den gången då Könik jagat honom med kniven för att dräpa honom och Könik kom ihåg kniven som Önde hade brukat på hans öra. Och Könik försökte inte alls längre att hålla ihop sitt ansikte, mest satt han och täckte det med bägge händerna.

Blasius stod där han stod, han var fjättrad på ett sådant sätt att han inte kunde lägga sig ner, kvinnorna stod där de ställts vid dörren, korna var i skogen, Bera hade Jaspar hos sig i korgen, småkräken var stillade för hela dagen. Och Nikolavus satt tankspritt smilande och petade naglarna, en konungens karl ska ha sorgkanter vita som snö. Nu löpte skrönan iväg alldeles av sig själv, han behövde ingenting göra, den for i rundlar och bukter som en skrämd och jagad kanin, han kunde bara avvakta den rätta stunden.

De blev allt orimligare och skamlösare mot varandra Könik och Önde, den ene hade låtit muren rasa och förstört näten som ingen kunde laga och den andre hade blandat samman dagarnas namn så att de nu kunde heta vad som helst och bränt upp stavarna där Magnus skurit och räknat tiden och ljugit och narrats om åren och årstiderna och veckorna så att tiden blivit en enda jättelik bråte som aldrig mer kunde redas ut. Och bägge hade de bistått kaninerna och utfodrat dem och främjat deras fortplantning så att de nu förtärde allt grönt inne i Kadis och snart skulle sluka också husen och lösöret.

Men Borne satt alldeles tyst. Jo, en enda gång öppnade han munnen.

Önde lovade mig ett silverstycke, sade han, om jag kunde tala om för honom skillnaden mellan allvar och gyckel. Jag har mycket grubblat över det silverstycket.

Då tittade Nikolavus som hastigast upp från sina naglar och sade: Vems kan det silvret vara.

Ja, sade Borne, det måste väl vara konungens.

Allt djupare ner i det längesedan glömda rannsakade Könik och Önde varandra, de var själva förbluffade över att de hade så gränslöst mycket att anklaga varandra för, ja också över att det var varandra och inte alla övriga levande och döda som de kunde ställa till svars. De bragte i dagen ett otal händelser och omständigheter som inte alls hör hit, det var lögner och bedrägligheter och slagsmål som inträffat i den tidiga barndomen, också förfädernas

308

missgärningar vräkte de över varandra, hela förmiddagen gick de på utan att mattas eller förtröttas. Men till slut visste de inte längre riktigt säkert vad de sade, ingen av dem märkte när Ädla tröttnade på alltsammans och gick därifrån, de skrek ut sina tillvitelser och urskuldanden och skymford och eder liksom i dvala.

Hur länge detta pågick är omöjligt att veta.

Men till sist tyckte ändå Nikolavus att den rätta stunden var inne. Han hade ju ingenting att vinna på att de bägge dräpte varandra. Solen hade för länge sedan hunnit förbi middagshöjden, korna råmade långt borta, de var på väg hem från skogen. Han granskade en sista gång naglarna, sedan såg han upp och avbröt dem med ett enda slutgiltigt ord.

Lappri, ropade han. Lappri.

Då hejdade sig Önde och Könik mitt i sina vrål och hojtanden och teg.

Ja, han hade sannerligen förstått deras belägenhet, det var inte alls av nöden att de trätte och kivades mera och ytterligare hotade att förgöra varandra, för honom hade det varit nog att kasta en enda blick på den här orten för att betrycket och eländet skulle uppenbaras för honom, vilken förbannelse som drabbat dem som levde här, vilken Guds vredes storm som hade gått över Kadis och hur platsen och

människorna och även en del av de närmaste omgiv-
ningarna omskakats och rådbråkats. Han insåg att
ofärden hade kommit över dem som en ljungeld, de
hade tagits med överrumpling, hur barnslig männi-
skan är i sin glädje, sade han, och hur hon mister allt
förnuft i sin sorg.

Men han ville gärna nämna för dem att sådant
som Kadis var, sådan var i stort sett hela världen.
Han visste det nogsamt, han hade farit måttlöst vida
över jorden, men för dem som levde instängda i den-
na befängda skröna var det ju inte lätt att veta vilka
farsoter och plågor som hemsökte andra landsän-
dar och bygder, nej, deras fåkunnighet var nödvän-
dig och uttänkt av deras skapare, den var en frukt av
den helhet för att inte säga ordning där de levde. De
skulle emellertid veta att det fanns städer som lagts
öde, byar där människorna ätit varandra, orter som
inte längre hade såpass som ett namn.

I sanning: de skulle skatta sig lyckliga att deras
hem var Kadis.

I all synnerhet skulle de skatta sig lyckliga av ett
enda säreget och underbart skäl: de ägde tillgång till
en skyldig. Ja, noga räknat två skyldiga.

Om Gud verkligen vill straffa en ort till det ytters-
ta, sade han, då fyller han den med oskyldiga.

Här hade de alltså denne Blasius, denna häpnads-
väckande och vederstyggliga galt. Han var det som

310

här skulle rannsakas och dömas. Många hade förirrat sig och syndat i Kadis, men han hade fullbordat den ogärning där alla de små felstegen och förvillelserna mynnade, där ordet lappri inte längre var giltigt. Nå, rannsakas: hans skuld var så uppenbar att någon rannsakning i vanlig mening väl knappast var av nöden.

Så beskrev han utförligt och långrandigt det brott som Blasius begått, även Blasius som sällsamhet och underdjur ägnade han en lång utläggning.

Nu ropade Eira: Egentligen är han Öndes. Det var Önde som förlöste suggan och kom med honom.

Men ingen tycktes höra henne.

Önde satt därframme och kammade skägget med den där kammen som han för ohyggligt länge sedan, långt före skrönans begynnelse, hade fått för Cecilia hustrun.

Det lät sig visserligen sägas att Blasius var ett oskäligt djur, sade Nikolavus, och att djuren föds och lever och dör såsom i en enda utdragen sömn, att han således inte hade vetat vad han gjorde, att han hade handlat liksom i dvala. Men han hade vetat sin hunger, han hade vetat att bryta sig ut ur sin stia, han hade vetat att finna vägen till det värnlösa flickebarnet. Det vore överhuvudtaget fåfängt och skrattretande att söka efter en gräns och skiljelinje mellan tanke och tanklöshet, mellan veta och icke veta, mellan sans och dvala. Alla gärningar var i grunden av samma beskaffenhet, de utfördes, mer än så kan man aldrig veta, i själva utförandet låg tanken och uppsåtet och viljan inneslutna, efter sina gärningar ska den levande varelsen dömas. Omkring alla handlingar finns ett hölje av dvala.

Blasius hade spetsat öronen, han grymtade ibland men en aning uppgivet och matt, ljuset från väggarnas gluggar föll in över honom. Han såg ännu väldigare ut här än han hade gjort i stian. Han hade vuxit upp i stian, alla hade vant sig vid att jämföra hans mått med stians, nu när de såg honom mot de barkade stammarna som bar upp taket och mot väggarnas stockar var hans storlek ännu orimligare, hans kropp var så påtaglig och tät och diger att de gärna ville tänka att han bara fanns i deras inbillning.

Men Eira tyckte sig se att istret redan börjat smälta samman, en hel dag och en natt hade han svultit, hon såg små fina rynkor i svålen.

Blasius, det ville Nikolavus påpeka, var ju inte heller endast ett svin, nej han var även ett tecken och en bild, han föreställde i sin ohejdade måttlöshet det tillstånd som nu skulle bytas mot frid och klarhet och lagbundenhet.

Som alla visste var han en vittberest konungens karl. I främmande städer med de märkvärdigaste namn hade han sett djur av alla de slag ställas inför sina domare, han hade sett getter och hundar föras till galgen och tjurar och svin och till och med råttor böja sig under mästers yxa. Vad som här vederfors denna galt var detsamma som skedde alla sällar av hans sort i hela den bildade världen.

Därmed nog om Blasius. Återstod denne Könik.

Han ville fatta sig kort, redan råmade korna efter sina mjölkerskor och ett mål mat vore förvisso inte ur vägen och detta evinnerliga pratande och högstämda orerande tröttade honom, han hade ju också talat ofantligt mycket mera och längre än som framgår av berättelsen, men han kunde trots allt inte heller i fråga om Könik nöja sig med att säga lappri. Nej, Könik kunde under inga omständigheter göras delaktig av lappri.

Alltså Könik.

Han hade med allt sitt tal om förvirring och oreda och orätt skapat förvirring och oreda och orätt. Genom att överbringa rykten om bortsnappandet av barn hade han vållat att hans eget barn blev bortsnappat. Han hade dragit kniv mot sin nästa så att ett öra blev bortskuret. Sin nästa hade han också skymfat och förtalat. Sitt svin hade han låtit göda till ett rovdjur av sådan storlek att det med knapp nöd kunde tvingas in i en skröna. Sin hustru hade han vaktat så illa att hon släppte vilddjuret lös. Den mara som hade sin boning i hans eget bröst hade han sänt att rida och mörbulta en högt aktad främling som gästade hans hus. Nå, detta var kanske inte känt av rättens övriga ledamöter, men så förhöll det sig. En konungens karl hade han lockat och tubbat att gyckla domare, ett gyckel som här drivits till den yttersta punkt där tvetydigheten övergår i det entydiga. Kort sagt: med sitt kluvna ansikte och mörkret i sin själ hade han varit till förargelse och stört ordningen och tryggheten och friden i Kadis. Förvisso, här kunde anklagelse läggas till anklagelse den ljusa natten igenom, ja i evighet.

Vad kunde Könik göra. Han hade tagit fram ett stycke sälgbarken, nu tuggade han. Han kunde ha lagt sig förlamad ner. Han kunde ha rest sig upp och gått därifrån som en som går i sömnen. Han kunde ha kastat sig över Nikolavus och dräpt honom och burit hans huvud till konungen. Men vad vore det för reda och klarhet och ordning, vilket mönster eller sammanhang skulle så ha fullbordats, vad för form eller mall eller mönster skulle då ha uppenbarats. Nej, det var nog så här det skulle vara, just så löjlig som Nikolavus men ändå tvingande och ofrånkomlig är väl alltid överheten. Könik tuggade alltså sälgbarken, då käkarna tuggade höll de samman ansiktet. Tuggande sade han: Jo, det kan nog vara sant som du säger. Fast det här med maran, det visste jag inte ens själv.

Sedan tillade han: Och efter Olavus handelsmannen har jag även två guldmynt. Jag grävde ner dem för ohyggligt länge sedan i värmen under Eiras vänstra skulderblad.

Kunde de då skrida till dom.

Jo.

Och Nikolavus fällde utslaget, han inledde det med att säga att allt liv var honom så plågsamt kärt, det var en lång och invecklad och svåröverskådlig dom, fylld med ord från främmande städer med de märkvärdigaste namn. Men det väsentligaste var trots allt begripligt, och sedan frågade han om de alla var ense. Och de teg en stund, men sedan svarade Önde för hela Kadis. Jo, sade han. Jo.

Här kunde ju Nikolavus ha låtit allt ta en ände, han kunde ha sagt att nu hade han gycklat nog med dem och att det här var det slut som han hade tänkt sig. Ja, att i fråga om Könik hade han till och med tänkt sig ett blodigare och grymmare slut just då svullnaderna och märkena efter maran brände som värst på hans kropp, men att barmhärtigheten är nödvändig, utan barmhärtighet mister allt gyckleri och alla konster sin verkan.

Om kvällen bars all konungens egendom till honom, han hällde den i två skinnsäckar som Ädla hade ärvt efter Avar och som hon med glädje gav honom. Och Könik lånade honom ett ok.

Sedan kunde han ju ha sagt farväl till Kadis och traskat iväg som ett konungsligt klövjedjur, tyngd av sin värdighet och de övriga bördorna. Men han blev där över natten. Ingen skulle behöva inbilla sig att han flydde. Men nu sov han i Avars hus, Ädlas hus, vid samma vägg som Önde. Och Önde steg inte upp och slog ihjäl honom, det hade varit ett alltför orimligt brott mot de uppställda reglerna, inte rättens och den laga ordningens, men skrönans.

Och Könik sov i kistan hos Blasius. Blasius lät honom nyttja den högra framläggen till huvudkudde.

Nu kunde någon ha erinrat sig något som hade sagts för ohyggligt länge sedan om en besegrad drake och hans stackars herre. De hängde upp Blasius, de var tvungna att hjälpas åt alla tre, Önde och Borne och Könik, han skulle hänga tills han var död. Ställningen knakade och bågnade men de fick ändå upp honom, han spjärnade inte emot, hans fläsk var mjukt och dallrade som om han hade legat flera dagar i sjudande vatten, han hängde med den svarta delen nedåt och den ljusa uppåt. Och sedan Könik. Han skulle bara hänga såpass att maran rann av honom. Han fick repet två varv om bröstet, han skulle på kunglig eller i det närmaste kunglig befallning tappas på maran och besinningslösheten så som man tappar en kanin på blod. Innan kvällen skulle han skäras ner. Och Borne sade att det här var för bedrövligt, att hänga en karl men ändå inte hänga honom, men att för Köniks skull fick man väl vara tacksam. Måttan hon är smal, sade han också. Stocken, där de förr hade blivit fjättrade de som behövde besinna sig, den hade Önde gjort om så att den passade Jaltes tjur.

Så där hängde Könik och dinglade för att bli litet klokare och anspråkslösare, och ingen förundrade sig. Det var oerhört länge sedan någon förundrades i Kadis, när orimligheten blev det vedertagna fick man vänja sig vid att skämmas om man kände förundran, allt elände var lika förunderligt självklart. Gud vet vad som redan för länge sedan kunde ha skett om de hade förundrats. Den som inte förundras har mestadels frid och lever tryggt i sin dvala. Själva uppvaknandet, allt slags vaknande, är förundran och ingenting annat, barnet förundras när det föds och får syn på dagsljuset och den som legat lam som en dödsskärrad fågel och blir botad förundras och den som uppstår från de döda förundras. Men den här morgonen hade Borne och Bera blivit nästan obarmhärtigt frestade att förundras. Borne hade känt med tungan inne i hennes mun och funnit något skarpt och glatt som inte varit där förr, och han hade bänt upp hennes käkar och hållit henne mot ljuset, och då hade han tydligt sett att hennes första tänder var på väg upp ur köttet. Men så hade de lagt band på sig och sagt att nå, det var väl på tiden och hon kunde ju lika gärna få tänderna nu då Jaspar ändå skulle få dem, kvällen innan hade han bitit fram blodet ur hennes bröstvårtor. Och än så länge dög ju inte hennes tänder att tugga av killingarnas navelsträngar med.

Det händer väl också att en enda förundran är så ofantlig att den bevarar människan för resten av livet, hon har aldrig mer ens lust att flyktigt lyfta blicken. Så var det med Ädla som vid ett tillfälle hade förundrats så hon trodde att hon skulle dö.

Hon var där, och hon kunde inte begripa att det skedde något märkvärdigt eller besynnerligt, jo jo, det här var nu en dag i Kadis.

Men Eira hon stod där och grät av häpnad. Det har förut nämnts att hon var bedrövligt liten, ja att hon var så kortväxt att om Könik hade letat rätt på ordet dvärg kunde han med förskräckelse ha tänkt det om henne. Hittills hade hennes litenhet inte haft någon större betydelse, den kan till och med ha verkat överflödig. Men nu fick den sannerligen en innebörd. Hon var otillräcklig. Hon tyckte själv att hon inte endast var småväxt, hon kände det som om hon krympte. Hon blev så obetydlig och skrumpnad att hon vilket ögonblick som helst kunde försvinna. Hon nådde inte upp till knutarna som Borne hade slagit omkring stolparna, hon kunde inte räcka Blasius eller Könik en bägare med dryck eller en brödkant, nej inte ens om hon ställde sig på tå kunde hon sträcka upp en tröstande hand till Blasius klövar eller Köniks fotsulor. Svagare och bedrövligare och mindre kan en människa inte känna sig och ändå förbli människa.

Nikolavus stod där, beredd till avfärd. Han hade det silverstrimmiga bandet om pannan och sin egen säck på ryggen och från oket som han bar över axlarna hängde läderpåsarna med allt silvret och guldet som funnits i Kadis och som nu var konungens, under oket hade han lagt två kaninskinn som han fått av Önde mot skavsåren. Han gjorde sig ingen brådska, han visste att en enda obehärskad kroppsrörelse kunde vara nog för att han inte längre skulle kunna tygla den här kaninlikt skvätträdda och oberäkneliga lögnen, hela skrönan kunde råka i sken och rusa åstad alldeles besinningslöst om han på ett eller annat sätt överilade sig. Men snart skulle han nog traska iväg ner mot älven, han skulle kliva långsamt och klokt som om han gick i dvala.

Nu kunde vad som helst ha hänt. Eira kunde ha hämtat den lilla handyxan som Könik gjort enkom åt henne och gett sig på Borne. Det kunde ha fallit Borne in att förkorta Blasius lidande med den bredbladiga bilan. Önde kunde ha dragit kniven och dräpt Nikolavus, ja vem som helst kunde ha dräpt vem som helst. Men det var inte tänkt så, det var inte meningen.

Eiras blick vilade ömsom på Könik, ömsom på Blasius. Och när hon granskade Könik riktigt noga tyckte hon sig se att någonting höll på att hända med hans ansikte.

Till en början höll han ögonen slutna, det såg ut som om han sov, han var uppfylld av förvirring och en äcklande och däven förnimmelse av skam och intighet. Men till slut lyfte han ändå ögonlocken en liten aning, det kunde ju göra detsamma. Han kunde titta på kaninerna, blicken kunde få irra omkring en liten stund tillsammans med kaninerna.

Men snart blev han tvungen att vidga ögonspringorna ännu något. Han såg inga kaniner.

Och han vred huvudet hit och dit och kisade och spanade. Men inga kaniner.

Slutligen öppnade han ögonen helt och hållet. Nej, det fanns verkligen inte en enda kanin att se. Och han tänkte efter, trevande och osäkert. Nej, han hade nog inte sett någon kanin på flera dagar. Nu fanns inte ens kaninerna.

Men då han ändå hade öppnat ögonen kunde han ju för all del se på vad som helst, han iddes inte stänga dem.

Han var ju inte bara förnedrad utan också upp-

hängd, för att inte säga upphöjd, så att han liksom
såg allting ovanifrån.

Han såg gräset. Det var grönt.

Han såg en fågel, den fågeln som heter sisselski-
ten, den drog upp en mask ur jorden.

Och husen. De skimrade som silverstycken, de
stod där de alltid hade stått.

Och björkdungen hitom kapellet såg han, den var
som en enda väldig ärkeängelsblomma.

Han såg solskenet, det var brännande starkt men
friskt som källvattnet.

Och han förundrades.

Det var nu Eira såg att någonting höll på att ske
med hans ansikte. Den där skåran blev grundare, ja
neröver näsryggen var den alldeles borta.

Sedan vred Könik huvudet och såg på Blasius.
Han hängde inte längre slapp och likgiltig, nej nu
sprattlade och kämpade och fäktade han allt han
förmådde, han krängde med kroppen och sparkade
med klövarna och slog vilt hit och dit med huvudet
för att göra sig fri. Ställningen gungade och repet
kved och jämrade sig, Bornes knutar vred sig och
knakade, han var ändå den väldigaste galten i ko-
nungariket. Och fastän han hade repet om halsen
bölade han som Avars tjur hade gjort den gången då
strömmen tog honom.

Könik såg noga på Blasius. Sådana ohyggliga

mängder av liv och kött i en enda kropp. En sådan gränslös förtvivlan och beslutsamhet. En sådan skakande uppenbarelse av tillvarons storhet och elände, halvt vit, halvt svart. Man kunde sannerligen förundras.

Aldrig någonsin hade han verkligen förstått Blasius.

Egentligen var det inte bara Blasius som hängde där och kämpade för sitt liv, Könik såg att Blasius i sig inneslöt något vida större, det var Kadis, för att inte säga hela Guds skapelse, som stred och plågades där i repet. Till och med istret föreföll att vara uppfyllt av styrka och skräck och uthållighet.

Och Könik kände hur vecket i hans panna slutgiltigt utplånades, han såg på Eira och Ädla och de andra som stod där och han såg husen och gångstigarna som löpte så anständigt och förnuftigt mellan husen, ett mäktigare solljus hade han aldrig upplevat, och han varsnade hur rätt och riktigt och självklart allting var, det var som om Kadis inför hans förundrade ögon med ens hade blivit läkt och helat.

Och han samlade alla sina krafter och angrep repet, han spände köttet så att hela kroppen blev liksom täckt av bulnader och knölar, och han sparkade och krängde och fäktade alldeles som Blasius.

Men då Nikolavus såg detta, då började han försiktigt att dra sig ner mot älvkanten.

Knutarna som Borne gjort löstes upp som om de hade varit bundna på lek av ett litet barn. Och Könik ropade befrielsens ord lappri så att det ekade över hela Kadis, han bröt sig ut ur skrönan där han hade varit instängd och hoppade ner på marken. Han landade stadigt men ändå mjukt på bägge fötterna och satte genast iväg efter Nikolavus. Och det var som om Könik därmed hade givit Borne och Önde ett hemligt tecken, som om lappri hade varit lösenordet som de väntade på, även de gav sig till att löpa efter Nikolavus som ju inte hade någon som helst möjlighet att komma undan, han hade alldeles för stora tyngder hängande över axlarna.

Borne grep honom om armarna och bröstet och Könik och Önde hjälptes åt att befria honom från hans bördor. Och en liten stund blev de stående där med lädersäckarna, nästan som om de än en gång var på väg att bli villrådiga och förvirrade. Men Könik åstadkom fort klarhet och reda igen.

Silver och guld, sade han, det ska grävas ner. Och jag vet ingen som gör det bättre än du Önde.

För så enkelt var det ju.

Och medan Borne stod kvar och höll Nikolavus löpte Könik och Önde tillbaka till ställningen och skar ner Blasius. Han var en aning blå, men föreföll ändå vara vid förunderligt gott mod, han hade ju aldrig i sitt innersta uppgett allt hopp. Han ruskade på sig ett par gånger så att svålen böljade och darrade som en vindpiskad vattenyta. Och Könik sade:

Kan du tänka dig så dumt ändå. Hänga en gris.

Sedan for Blasius iväg så hastigt som han överhuvudtaget förmådde, det dundrade dovt i de tomma husen då hans skinkor slog mot knutar och väggar, han rusade genaste vägen genom hela Kadis och hem till stian bakom Köniks och Eiras hus. Där hade han fostrats till den han var, därifrån skulle han hädanefter aldrig vika.

Men Könik och Önde gick tillbaka ner till älven, de hjälptes åt att skjuta ut den stora båten i vattnet, den båten som alla i Kadis ägt tillsammans, den hade legat uppdragen ända sedan den hösten då Jaspar kom hem med kaninkäringen. Och kvinnorna kom dit för att se vad karlarna gjorde, Bera hade Jaspar på armen, Nikolavus var alldeles hjälplös i Bornes famn. Han sade inte ett ord, han var liksom i dvala, det var ju givet att de skulle dräpa honom. Och Eira sade att hon gärna kunde ta hand om det där silverstrimmiga bandet som han hade omkring pannan, hon ville ha ett minne efter honom.

Så bar Borne honom till båten och satte ner honom på baktoften. Där fick han sitta och ösa medan de rodde honom över älven.

Då de kommit över till andra sidan fick han själv kliva ur båten, han var bensvag och vacklade hit och dit men tog sig ändå i land. Och Könik och Önde och Borne hetsade honom med förfärliga utrop, de följde efter honom och föste honom framför sig, han rände iväg som om han alldeles mistat vettet och de sjasade honom så som man gör med ett får eller en get eller en kanin. Så drev de honom ända tills de var säkra på att han aldrig skulle återvända, rakt in i storskogen, ut i förbistringen och tomheten, ner mot södra Sverige som han kommit ifrån.

När de sedan rodde hem igen fick Borne ösa, en båt som legat uppdragen en hel evighet, den läcker ohyggligt.

Vad gjorde de ytterligare den dagen.

Jo, Borne förevisade Beras tänder för dem alla. Och det fanns ingen gräns för deras förundran.

De sörjde Maria. Avars och Ädlas Maria.

Könik hyvlade en stav där han hädanefter skulle karva en skåra för var dag som gick, han skulle börja med morgondagen, och den sjunde skulle han alltid skära snett över de närmast föregående.

Och Eira hjälpte honom att kamma ner håret över örat som var borta. Från den dagen hade han alltid håret så.

Önde gick undan ett par gånger och grävde i ensamhet några gropar där han bäddade ner någonting. Sedan gjorde han fint efter sig så att ingenting skulle synas.

Och Könik blev betraktad och granskad. De kände nästan inte igen honom, ingen mindes längre när hans ansikte sist var helt och sammanhängande.

De satt även under Avars rönn och pratade om allt som nu oundgängligen skulle uträttas. Det var ofattbart mycket. Men det skulle sannerligen bli gjort.

Den där muren som det jämt hade varit tal om, nu skulle den äntligen bli byggd.

Om kaninerna sade de ingenting. Utom möjligen det som Önde muttrade då han tuggade i sig en liten bit torkat kött. Det är vitt och liksom sött det här, sade han, och man blir fort mätt av det. Om jag kunde minnas vad det är för ett kött.

Och då den dagen kom skulle de hjälpas åt att slakta Blasius, det var tvunget att de delade honom mellan sig. Så vanvettigt mycket kött och fläsk. Och Eira var ju så liten även i maten. Jo.

Och till slut lade de sig och sov i sommarnattsljuset, Borne hos Bera och Könik hos Eira och Önde vid bortre väggen i Avars hus, hans ko som nu kunde vara hur gammal som helst stod mellan honom och Ädla och järtade, och så förtröstansfullt hade det inte sovits i Kadis på evärdliga tider, då de försökte minnas när de senast sov en sådan sömn sjönk deras tankar ner i en avgrund som tycktes dem oändlig.

Och nästa dag, om morgonen då de hade ätit gröten, då sade Könik: I dag är Johannes Döparens dag. Och han täljde den första skåran i staven. Men han sade till Eira: Hjälp mig minnas att det är om morgnarna jag räknar tiden, om jag en enda gång skär i staven om kvällen, då är allt förlorat.

Den dagen kom två främlingar till Kadis, ja inte bara två utan kanske till och med tre. Johannes Döparens dag således.

Den förste som kom, det var prästen. Han var ljus i håret och lika grov som Borne och tänderna var breda och vita och stod ut en aning så att överläppen gled upp mot tandköttet då han pratade. Han sade genast sitt namn och ingen behövde tala om för honom att detta var Kadis, det var till Kadis han blivit sänd, han ville genast ta kapellet i besittning, ingen tid fick gå förlorad. Redan samma dag måste de för första gången fira mässan tillsammans. Han kände omedelbart igen djävulen då han såg honom, Köniks gamla djävul, han skulle ställas in i det mörkaste hörnet i kapellet, nästan osynlig och finkänsligt tillbakadragen i enlighet med sitt väsen. Det var även nödvändigt att mängder av andra bilder blev skurna och satta på mera framträdande platser, änglar och helgon och lamm och duvor och jungfrur och profeter. Jo, Könik skulle förvisso få göra bruk av sina märkvärdiga färdigheter.

Och de sade till honom att de bara var sju människor allt som allt.

Men det bekymrade honom inte, det är så med människorna, sade han, att ibland är de nästan utplånade och ibland föreligger de i mängder som liknar myrornas i en stack, det är ingenting att fästa sig vid, inför Gud kan ändå aldrig mera än en människa i taget vara för handen. Och han gnuggade händerna och log mot dem, han kände sig som en odlare som just ska till att så i sin allra nyaste åker, sade han, det lilla gossebarnet Jaspar skulle döpas, välsignelser måste utdelas, en eller annan vigsel borde förrättas, bikter måste mottagas, de döda skulle enligt alla konstens regler fästas vid jorden. Ja, han såg framför sig en åker som han skulle plöja och vårda ända till domedag. Då han tänkte på sin väldiga uppgift i Kadis, detta uppdrag som kunde slutföras först i evigheten, då fylldes han av en nästan förlamande förundran och kraft. Och en gjuten klocka skulle de skaffa från Ume, en klocka således som kunde hängas i en hög ställning sådan som den de helt nyligen timrat av färska stockar. I den klockan skulle han ringa då de behövde påminnas om tidens rätta sönderdelning i stunder och om Gud, ja överhuvudtaget om den ordning som inte syns men som ljuder som en för alla hörbar och gemensam klämtning genom hela tillvaron.

Jo. Det var ju givet. Det var självklart. Nu då han sade det.

Och de gav honom torkat kött att äta och Bera hämtade en getost och en kanna getmjölken, och han berömde mycket köttet som var så ljust och mört och smakligt fastän det var så väl torkat att det kunde stå sig i evighet.

Den kvinnan, sade han och småskrattade, som hade torkat det köttet, den kvinnan skulle han på sitt prästerliga vis gärna ha haft som sin, han behövde någon som vårdade honom och som begrep sig på det torra köttet, ett kött där allt, ja verkligen allt, fått torka in så att livets safter bara kunde förnimmas som smak och doft, förädlade och förvandlade.

Det är jag som har torkat köttet, sade Ädla. Och jo, nog kan jag vara kvinna åt dig.

Vid middagstimman, just då solen var som högst på himlen, var och en hade gått till sitt för att äta middagssoppan, prästen åt hos Ädla och Önde hade tagit sin ko och gått hem till sig, då kom det en kvinna. Hon kom den vägen som alla främlingar brukade komma och hon gick inte in hos Bera för Borne hade stängt dörren så att Jaspar skulle få sova middagssömnen i fred för getterna, det blev alltså till Könik och Eira hon kom. De satt på tröskelstocken och åt, bägge hade soppskålen i händerna. Kvinnan ledde en liten, liten gosse vid handen, han var nästan lika stor som Eira. I den andra handen hade kvinnan en stor och präktig videkorg.

Och Könik och Eira satte ifrån sig soppskålarna.

Jag ska hämta soppan åt er, sade Eira.

Och Könik makade på sig så att de fick sätta sig.

Man blir hungrig och törstig av att gå, sade kvinnan. Och den här lille har jag fått bära långa sträckor.

Jo, sade Könik. Och det här solskenet är ju välsignat. Men det tar på krafterna.

Ja, så satt de en stund och pratade om vädret och världen och avstånden.

Om ett tag kom Eira tillbaka med två skålar, en stor och en liten. Den stora skålen räckte hon åt

331

kvinnan, hon blåste en stund på soppan i den lilla skålen, sedan gav hon den åt gossen.

Nu ska du äta, Kare, sade hon. Så att du blir stor och stark och klok som far din, han Könik.

Och den lille hade redan lärt sig att öppna munnen och göra ord.

Soppan, sade han, har jag inte ätit sedan i Nordingrå.

Hur kan du veta att han heter Kare, sade kvinnan.

Han är min, sade Eira. Jag har själv fött fram honom och gett honom namnet.

För så var det ju. Det var givet att det var Kare.

Hon behövde inte ens titta på födelsemärket.

Och Eira var helt enkelt så svindlande lycklig att hon inte hade kunnat låta bli att giva honom soppan.

Då lyfte Könik fram bilden som han hade hängande i läderremmen om halsen, träbilden som han hade skurit då han satt i kistan. Så granskade han gossen och bilden, ögonen for mellan bilden och det levande ansiktet just så som de brukade fara mellan mallen och trästycket, och han såg att likheten var fullkomlig. Och han unnade sig inte den kortaste lilla tanke av tvekan eller tvivel, han satte genast i gång att gråta alldeles ohejdat, han grät så att det släta ansiktet där nu inte ens en skuggning fanns kvar efter skåran blev alldeles blankt, och tårarna som samlades i skägget började glittra som ädla stenar i ljuset.

Och Kare, han åt soppan. Han åt sakta och väl. Eira som alltid hade vetat om den här stunden och Könik som aldrig hade kunnat föreställa sig den, de satt där nu bara stilla och såg på honom medan han åt, ingen av dem nändes blinka.

Till slut slickade Kare skålen alldeles ren.

Och kvinnan talade om för dem hur det var. Det var ohyggligt enkelt, det hade inte kunnat vara på något annat sätt.

Hon berättade länge. Men själva berättelsen, den var ju tämligen kort.

En ensamkarl i Nordingrå hade köpt gossen i Hörnefors, han hade betalat ett tygstycke för honom. Och säljaren hade sagt att gossen var inifrån landet och hette Kare. Men nu hade ensamkarlen dött. Och hon hade ändå ett ärende åt Kadis så hon hade tagit honom med sig. Inne i landet fanns ju inte mycket mer än Kadis. Jo, det var bara på det viset. Ensamkarlen hade gärna velat ha sig ett barn. Och ett tygstycke, det var ju ett orimligt godpris.

Men Eira och Könik sade ingenting.

Jo, det var ju så, upprepade kvinnan, att jag ändå hade ett ärende.

Om du har ett ärende, sade Könik, då är det till Önde du ska gå.

Vem är Önde.

På den frågan fick hon inte något svar. Det var som om Eira och Könik inte begrep den. Men Könik torkade sig till slut i ansiktet och reste sig och gick ut till den breda stigen som förde till husen längre upp. Och han beskrev vägen för henne och talade om hur hon skulle känna igen huset.

Först när hon hunnit så långt att hon inte syntes bakom husknutarna kom Eira och Könik ihåg att de inte hade tackat henne för att hon skänkt dem Kare tillbaka. Och de ropade samtidigt efter henne men hon hörde det nog inte, de ropade allt de förmådde: Tack ska du hava för Kare.

Sedan satt de länge i det vidunderliga ljuset och gjorde ingenting annat än skådade Kare. Till slut blev han trött av soppan och värmen och började nicka med huvudet. Då tog Könik honom på armen och bar honom till stian så att han skulle få se Blasius. Könik ville att även Kare riktigt skulle få förundras.

Och kvinnan hon gick till Önde. Han satt på trappstenen och såg på syrenen som hans kvinna Cecilia hade planterat. Den blommade. Blommorna var blå.

Är det du som är Önde, sade hon.

Jo, sade Önde.

Då har jag ändå kommit rätt, sade kvinnan och satte ner videkorgen i gräset.

Jo, sade Önde. Det kan nog vara riktigt.

De har sagt åt mig att om man har ett ärende hit till Kadis, då ska man gå till dig.

Jo, sade Önde. Så är det.

Och han sänkte huvudet en aning och flyttade blicken från syrenblommorna till kvinnan. Hon hade nära mellan ögonen och hennes näsa var smal vid roten och hög. På högra kinden hade hon ett födelsemärke och hon hade ett besynnerligt litet mellanrum mellan framtänderna. Hon var en aning kobent.

Hon var vacker.

Jag heter Maria, sade hon.

Jo, sade Önde.

Och sedan berättade hon sitt ärende.

Det var en gång en karl från Kadis som kom till Nordingrå. Han hade aldrig talat om vad han hette, men han hade frågat efter henne. Han hade nämnt henne vid namn och beskrivit henne noga, han hade till och med vetat om den här luckan mellan framtänderna.

Och hon pekade med långfingret på det där lilla mellanrummet.

Och han hade sagt att hon och ingen annan var hans kvinna.

Jo, sade Önde.

Men hon hade vaktat korna på Ulvön vid den tiden och ingenting fått veta förrän långt efteråt.

Jaha ja, sade Önde. Jo, det var ju den tiden på året.

Och hon hade aldrig kunnat glömma denna karl som traskat och gått ända från Kadis till Nordingrå för hennes skull. Och nu hade hon själv gått samma väg fast åt andra hållet, hon hade varit tvungen att få göra det innan det var alldeles för sent. Hon kunde inte leva om hon inte fick träffa honom, han som så säkert visste att hon tillhörde honom. Nu ville hon således fråga honom Önde om han visste vem denne makalöse karl kunde vara.

Jo, sade han. Det var jag det.

Sedan var de länge liksom stumma bägge två.

Hon försökte att riktigt granska honom. Hon hade tänkt så ohyggligt mycket på honom, hon tyckte att hon nästan borde känna igen honom. Men det var svårt för hon fick tårar i ögonen.

Och slutligen var hon ändå tvungen att springa fram till honom och krypa in i hans famn, och han grep tag om henne och kramade henne så hårt att hon fick upp Eiras soppa i munnen och inte kunde andas på en lång stund. Men om ett tag lyfte han upp henne och bar in henne i huset och drog igen dörren efter sig.

Därinne blev de sedan länge, det var bara han och

336

hon och givetvis kon, de blev där ända tills solen bara var någon fot över Skravelberget.

Då kom de ut och satte sig på trappstenen. De höll armarna om varandra. De såg på syrenen.

Men så kom Önde med ens ihåg något som han hade börjat grubbla över genast då han fick se henne.

Vad är det du har i den där videkorgen, sade han.

Och då var hon ju nödd att hämta korgen och lossa sprinten och vika undan haspen och lyfta upp locket. Sedan stack hon ner bägge händerna och tog upp en väldig kaninkäring, hon var svart men hade vita tofsar på öronen. Önde kunde inte minnas att han någonsin sett ett sådant djur.

Jo det må jag då säga, sade Önde.

Det är en hargubbe som har gjort henne dräktig, sade hon. Hon har säkert tolv ungar. Så sant som jag står här.

Och då kunde Önde inte låta bli att lyfta upp henne, ja både henne och kaninkäringen, och han bar henne raka vägen in i huset och älskade henne genast en gång till.